Arielle Queen
Le Voyage des Huit

ARIELLE QUEEN

LE VOYAGE DES HUIT

Michel J. Lévesque

LES INTOUCHABLES

Les Éditions des Intouchables bénéficient du soutien financier de la SODEC et du Programme de crédits d'impôt du gouvernement du Québec.

Nous remercions le Conseil des Arts du Canada de l'aide accordée à notre programme de publication.

Nous reconnaissons l'aide financière du gouvernement du Canada par l'entremise du Programme d'aide au développement de l'industrie de l'édition (PADIÉ) pour nos activités d'édition.

ASSOCIATION
NATIONALE
DES ÉDITEURS   Membre de l'Association nationale des éditeurs de livres.
DE LIVRES

LES ÉDITIONS DES INTOUCHABLES
4701, rue Saint-Denis
Montréal, Québec
H2J 2L5
Téléphone : 514 526-0770
Télécopieur : 514 529-7780
www.lesintouchables.com

DISTRIBUTION : PROLOGUE
1650, boulevard Lionel-Bertrand
Boisbriand, Québec
J7H 1N7
Téléphone : 450 434-0306
Télécopieur : 450 434-2627

Impression : Transcontinental
Photographie de l'auteur : Karine Patry
Illustration de la couverture : Boris Stoilov
Conception du logo et de la couverture : Geneviève Nadeau
Infographie : Jimmy Gagné, Studio C1C4

Dépôt légal : 2009
Bibliothèque et Archives nationales du Québec
Bibliothèque nationale du Canada

ISBN : 978-2-89549-356-3

Pour Ingrid, Mylène, Geneviève, Emilie,
Judith, Géraldine, Patricia J., Élyse-Andrée,
Michel, Lisanne, Marie et Dominique

Pendant des milliers d'années, les forces du mal ont occulté le Signe, jusqu'à ce que Vidfinn, un messager de lumière envoyé par l'Alfaheim, révèle enfin son existence aux hommes. Les peuples de l'ombre ont alors choisi de pervertir le Signe plutôt que de le cacher à nouveau. Ils ont menti sur son origine, ont raconté aux hommes qu'il était mauvais, en ont fait un emblème du mal. Au début du XXIᵉ siècle, alors que la technologie moderne remplaçait les croyances anciennes, les forces du mal contrôlaient toujours le Signe et s'en servaient pour provoquer la crainte chez les hommes de bonne volonté. Légendes, récits, poèmes et chansons se sont multipliés pour le discréditer. À cette époque de faux-semblants et de doutes, de guerre et de violence, plus aucun homme ne se souvient des paroles de Vidfinn : « Transcendant est le Signe. Transcendant est le nombre. Ubiquiste il est devenu, tel le destin du monde auquel il est lié. Saurez-vous le reconnaître? Saurez-vous le découvrir à temps, et l'accueillir en ce monde? »

— Paroles d'Absalona, Lady de Nordland, prononcées lors d'une allocution au palais Brimir.

QUARTIER JAMAICA
QUEENS, NEW YORK

23 JUILLET DE L'ANNÉE 1996

L'avion d'Olaf Thorvald se posa à l'aéroport international John F. Kennedy à 21 h 20 précises. Une fois qu'il eut passé les douanes, le vieil homme, son unique bagage (une petite mallette plaquée argent, à combinaison chiffrée) à la main, prit un taxi qui le transporta de l'aéroport Kennedy à la 165ᵉ Avenue, dans le quartier Jamaica, là où se situe le Frank M. Charles Memorial Park. C'était à cet endroit qu'avait été fixé son rendez-vous avec Henry Thornell.

Une fois descendu du taxi, le vieil homme s'engagea dans le parc et marcha jusqu'à ce qu'il atteigne les courts de tennis. Là, il s'arrêta, puis s'orienta vers le sud-est et se rendit au bord de la Jamaica Bay. Malgré l'obscurité, Thorvald put apercevoir à sa droite le Cross Bay Boulevard et, sur sa gauche, il reconnut la ligne Rockaway du métro de New York. Tout comme le Cross Bay Boulevard, la voie de surface du métro permettait de rejoindre la communauté de Broad Channel, puis The Rockaways, la péninsule de Long Island, située de l'autre côté de Jamaica Bay.

— Pile à l'heure ! dit une petite voix derrière le vieil homme, alors que celui-ci suivait du regard une rame de métro qui filait vers le sud.

Le vieux Thorvald se retourna, mais dut baisser les yeux pour voir la personne qui s'adressait à lui ; c'était une fillette âgée de plus ou moins six ans.

— Je comprends maintenant pourquoi la loge Europa confie ses missions les plus périlleuses aux descendants du clan Thorvald.

Les expressions faciales et l'attitude de la jeune fille n'avaient rien à voir avec celles d'une enfant de son âge. Malgré son apparence, elle parlait et bougeait comme une adulte. Derrière elle se tenait un homme dans la mi-trentaine qu'on aurait pu prendre pour son père.

— Les fulgurs de votre famille sont les plus fiables, dit-elle à Thorvald, toujours avec sa voix d'enfant. En voici une autre preuve.

Le vieil homme était bien un chevalier fulgur, mais il se demanda comment la jeune fille avait fait pour le savoir. Rien ne permettait de le deviner aussi aisément. Thorvald était vêtu d'un long imperméable gris et d'un costume trois-pièces marron tout ce qu'il y a plus banal. Les seuls accessoires qui, en temps normal, auraient pu servir à l'identifier étaient ses gants de fer magiques et ses marteaux mjölnirs, mais il ne les portait jamais lorsqu'il voyageait.

La fillette sourit, puis continua :

— Je m'appelle Rose. Et lui, c'est Chuck Gorman, mon oncle, ajouta-t-elle en désignant l'homme derrière elle.

Celui-ci jeta un regard rempli de dédain à Thorvald, puis baissa les yeux vers la fillette, dans l'attente d'un ordre ou d'une directive quelconque. Il n'y avait aucun doute dans l'esprit de Thorvald : l'oncle s'en remettait à sa nièce. Son instinct de chevalier fulgur ne le trompait que très rarement, et il était convaincu que cette jeune enfant, en apparence inoffensive, hébergeait en elle un démon encore plus puissant que celui qui vivait à l'intérieur de son « oncle ».

Il né faut jamais juger un démon par la taille de son hôte, se rappela-t-il. *Cette petite est la maîtresse, et l'homme qui l'accompagne est son serviteur.*

— Dis-moi, petite, à quelle bande de démons appartenez-vous ? demanda Thorvald à la fillette.

L'enfant se mit à rire, un rire mesquin de petite fille, à vous donner froid dans le dos.

— Nous ne sommes d'aucune allégeance, révéla-t-elle, s'amusant toujours. Nous jouons pour la seule équipe qui ait réellement de l'importance : la nôtre.

— Où est Henry Thornell ?

— C'est lui que vous attendiez, n'est-ce pas ? répondit la petite Rose. Malheureusement, il aura du retard. Beaucoup de retard, en vérité. Ce pauvre Thornell a eu un fâcheux accident, peu après avoir reçu le message qui le prévenait de votre arrivée.

— Vous l'avez tué, c'est ça ?

— Oui, avoua candidement la jeune fille, mais seulement après avoir obtenu les informations qui nous intéressaient.

Thorvald était certain que Thornell n'avait rien dit ; son vieil ami aurait préféré mourir plutôt que de révéler ce qu'il avait découvert. Deux explications étaient alors possibles : soit la fillette et son compagnon avaient trouvé le moyen de sonder l'esprit de Thornell, soit ils l'avaient fait parler sous la torture.

— Sale petite vermine ! Qu'as-tu fait de lui ?

— C'est sans importance, déclara la fillette. Vous avez les médaillons ?

Thorvald ne répondit pas, mais resserra davantage sa prise sur la poignée de la mallette, comme s'il craignait soudain que quelqu'un s'en empare.

— Il sont là-dedans, n'est-ce pas ? fit Rose en indiquant du menton la petite valise en argent.

Elle n'avait pas besoin que Thorvald le lui confirme. Juste à voir la panique dans les yeux du chevalier, elle savait que les deux médaillons se trouvaient bel et bien à l'intérieur de sa mallette.

— Nous savons qui vous êtes, Olaf. Et nous savons aussi que vous avez connu Abigaël Queen et Mikaël Davidoff, et que dans votre mallette se trouvent les deux médaillons demi-lunes. Vous devez les remettre à Arielle Queen et Noah Davidoff, les deux prochains élus. C'est votre mission.

Thorvald acquiesça :

— C'était ma mission, en effet, précisa-t-il, jusqu'à ce que nous découvrions… la vérité.

— Quelle vérité ? fit Rose avec le sourire.

Thorvald inspira profondément. Pourquoi hésitait-il à répondre ? Il avait la conviction que l'homme et l'enfant en savaient tout autant que lui au sujet des médaillons, peut-être même davantage. Leur présence ici suffisait à le démontrer.

— La vérité est que ces bijoux sont des faux, expliqua la fillette à la place de Thorvald. Jamais, au cours des siècles, les élus Queen et Davidoff n'ont été en possession des vrais médaillons demi-lunes. Ils se transmettent ces deux répliques de génération en génération, depuis que votre ancêtre, Ulf Thorvald, les a remises à Sylvanelle la quean et Mikita Davidoff en 1150.

Thorvald fit mine d'être surpris par ces révélations.

— Ne faites pas l'imbécile, rétorqua la jeune Rose. Vous savez tout autant que moi que c'est la vérité, ce qui n'était malheureusement pas le cas de votre ancêtre. Le pauvre n'avait aucune idée que les médaillons volés aux adorateurs de Loki étaient des faux.

— Mais si ce sont bien des répliques, intervint Thorvald, comment expliquer alors que les médaillons permettent aux élus de contrôler leurs alters, comme seuls les médaillons demi-lunes sont censés le faire ?

— Vous savez très bien pourquoi, répondit Rose. Parce que Loki a ensorcelé ces faux afin de leur attribuer les mêmes pouvoirs que les demi-lunes.

Après une pause, la fillette demanda :

— C'est Thornell qui a tout découvert, n'est-ce pas ? C'est la raison pour laquelle il vous a fait venir ici. Il souhaitait examiner les médaillons de plus près. En plus de savoir que les deux bijoux sont des faux, Thornell savait aussi qu'ils possèdent les mêmes pouvoirs que les véritables demi-lunes, à une exception près : une fois réunies, les deux répliques n'anéantiront pas les alters, comme doit le faire la réunion des vrais médaillons. Je me trompe ? Et ce n'est pas tout. Thornell a analysé le comportement des Davidoff à travers les siècles et en est arrivé à la conclusion que leur folie est causée par une puissance extérieure. La seule chose qu'ont eue en commun les élus de la lignée Davidoff dans l'histoire, ce sont les médaillons demi-lunes. Thornell en a déduit que c'est le fait de porter ces répliques qui a fini par rendre fous tous ces pauvres descendants de David le Slave. Quant aux élues Queen, étrangement, elles semblent épargnées par ces accès de folie. Mais peut-être que leur nature maléfique les empêche d'être davantage corrompues ? Après tout, les répliques, comme les véritables demi-lunes, ont acquis leurs pouvoirs grâce à leur père, Loki. Il est possible qu'elles soient immunisées contre leurs effets pervers, vous ne croyez pas ? Peut-être même que les médaillons ont un effet protecteur sur elles. Combien de fois a-t-on entendu raconter qu'une énergie provenant des médaillons s'était interposée entre les élues Queen et leurs adversaires ? Les pendentifs qui sont en votre possession sont bien des faux, Thorvald, mais pas n'importe lesquels. Les deux bijoux qui se trouvent dans votre petite mallette ont été fabriqués à partir des pierres de Skol, que Loki a volées au géant Bergelmir.

— Les pierres de Skol ? répéta le vieux Thorvald, plus sceptique que jamais.

Rose acquiesça :

— Grâce à ces pierres, Loki pourrait passer outre à son interdiction de séjour dans le royaume des hommes et permettre à un corps humain d'être assez résistant pour qu'il puisse s'y incarner.

— Les médaillons de Skol relèvent de la légende, rétorqua Thorvald. Ils n'ont jamais existé !

— Désolée de vous décevoir, Thorvald, mais les médaillons de Skol existent bel et bien. Et grâce à eux, nous assisterons un jour à l'avènement de la Lune noire.

— Comment peux-tu savoir ça, démon ?

— Parce que l'idée vient de moi, répondit Rose sans la moindre gêne. C'est moi qui ai suggéré à Loki de remplacer les demi-lunes par les pierres de Skol.

— Suggéré ? répéta Thorvald. Hormis Odin, Loki n'accepte d'écouter que deux personnes : sa fille, Hel, ainsi que son amante, la sorcière…

— Angerboda, compléta la fillette à la place du vieux fulgur. Bravo, vous avez trouvé, Thorvald, c'est bien moi. La seule et l'unique, Angerboda !

Le fulgur fixa ses yeux sur la petite fille. Ses traits avaient pâli et l'expression sur son visage trahissait à la fois son doute et son appréhension.

— C'est… impossible.

— Impossible ? Et pourquoi donc ? C'est ici, sur la Terre, que nous a envoyés cette garce de Sigyn après que je m'en suis prise à ses deux fils, Nari et Vali. Tous les livres d'histoire le confirment. Souvenez-vous de la malédiction que Sigyn nous a jetée, à mes fils et à moi, avant de mourir : « Que mon voyage vers le néant éternel vous entraîne vers la douleur des mortels. Putain, bâtards, jamais plus vous ne reverrez le monde des dieux ! »

Le vieil homme secouait la tête tout en murmurant des paroles inaudibles. Il avait cessé d'observer la jeune fille et son regard se perdait maintenant dans le vide.

— Non... Sigyn ne peut pas... Elle ne peut pas vous avoir exilés sur la Terre. Ce serait trop terrible...

Angerboda, empruntant le petit corps de Rose, soupira :

— « Que mon voyage vers le néant éternel vous entraîne vers la douleur des mortels. » C'est assez clair, il me semble, non ? La douleur des mortels, où pourrait-on la subir ailleurs que dans ce foutu royaume ? Fenrir, Jörmungand-Shokk et moi avons été expulsés de l'Helheim, où nous étions presque devenus des dieux, pour être expédiés illico presto à Mannaheim. Le plus dur a été d'être séparés de notre maître et seigneur, le tant aimé Loki. Mais au jour de la Lune noire, nous serons de nouveau réunis.

Devant le silence de Thorvald, Angerboda ajouta :

— Impressionné ? Vous voulez un autographe ? Prendre une photo peut-être ?...

— Elle a à peine six ans... je ne peux pas croire que...

— ... que je me sois incarnée dans le corps de cette petite, compléta Angerboda, alors qu'elle n'est encore qu'une enfant ?

Thorvald hocha la tête. Angerboda haussa les épaules de façon désinvolte, puis ajouta :

— Bah, on s'y fait à la longue, croyez-moi. Depuis que Sigyn m'a chassée de l'Helheim, il y a plusieurs siècles, c'est toujours ainsi que je procède. Sachez cependant que je ne m'incarne jamais de force dans le corps de ces petites. Chaque fois, ce sont les parents qui m'offrent de « posséder » leur jeune enfant. C'est un honneur pour ces païens, vous le saviez ? Les derniers ont sacrifié leur première-née pour moi. Je ne pouvais trouver mieux comme famille adoptive, puisque les parents de la petite Rose sont aussi des adorateurs de Loki, de la lignée des Anger et des Boudrias. Si vous faites des recherches, vous verrez que ces deux noms sont d'origine germanique, et que les Anger et les Boudrias sont les descendants directs des...

— Des Ansgari et des Bodhari, acheva Thorvald. Ce sont les deux premiers clans de barbares qui vouèrent un culte inconditionnel à Loki. C'est d'ailleurs aux Ansgari que mon ancêtre, Ulf Thorvald, a volé les médaillons demi-lunes en 1150.

— Je sais, j'y étais, confirma Angerboda. Votre ancêtre n'a rien volé du tout. C'est moi qui lui ai remis les demi-lunes, ou plutôt les médaillons de Skol, afin qu'il les donne à Sylvanelle et à Mikita. Ulf Thorvald a bien joué son rôle, tout comme vous jouerez le vôtre, mon ami.

— Je ne remettrai jamais les médaillons de Skol aux deux élus ! s'insurgea Thorvald. Je ne collaborerai pas avec les forces de l'ombre. Le jour de la Lune noire n'arrivera pas !

— Mais si, vous le ferez, le contredit aussitôt Angerboda. Que vous le vouliez ou non, c'est dans l'ordre des choses.

— Tu te trompes.

— Bien au contraire, Olaf. Un chevalier fulgur doit remettre les demi-lunes aux deux prochains élus, c'est la tradition. Mais il y a plus important encore : pour que Loki parvienne à s'incarner en ce monde, une condition est requise, et elle n'est pas simple à respecter, croyez-moi. Pour permettre l'avènement de Loki, les médaillons de Skol doivent être réunis par deux êtres de nature opposée, soit par un démon et un être humain. Et ce n'est pas tout, il y a une difficulté supplémentaire : ces deux représentants des peuples de l'ombre et de la lumière doivent être amoureux l'un de l'autre, c'est essentiel. Une tâche ardue, me direz-vous ? Peut-être, mais auriez-vous oublié que les élus Queen et Davidoff remplissent parfaitement ces conditions ? La preuve, c'est qu'à plusieurs occasions dans le passé les ancêtres d'Arielle et de Noah ont bien failli réunir les médaillons de Skol pour nous. Sans savoir, évidemment, que cela servirait les forces du mal, et non la réalisation de leur fameuse prophétie. Réfléchissez-y un peu : chaque élue de la lignée des Queen est une fille de Loki et, donc, appartient au peuple de l'ombre. Quant aux membres de la lignée des Davidoff, ils sont tous humains ; en conséquence, ils font tous partie du peuple de la lumière. Ne manque plus qu'un soupçon d'amour entre eux et c'est la combinaison parfaite ! Faites-moi confiance, s'il existe deux personnes en ce bas monde capables de provoquer, involontairement ou pas, l'avènement de Loki, ce sont bien les deux élus de la prophétie.

— Mais pour cela, ils doivent avant tout détenir et unir les médaillons de Skol, répondit Thorvald sur un air de défi. Et je préfère mourir plutôt que de remettre ces pendentifs aux élus.

Le petit visage d'Angerboda s'illumina alors d'un nouvel enthousiasme :

— Pourquoi ne pas faire les deux ? Mourir ET leur remettre les médaillons ?

Thorvald ne comprenait pas. Plutôt que d'approfondir sa pensée, Angerboda se tourna vers l'homme qui se trouvait derrière elle.

— Comme vous vous en doutez sûrement, Chuck Gorman n'est pas vraiment mon oncle. Non, en fait, il s'agit de mon fils interprétant le rôle de mon oncle. Son vrai nom est Jörmungand-Shokk, le serpent de Midgard. Mon autre fils, Fenrir, nous rejoindra lorsque les deux élus auront enfin réuni les médaillons de Skol et que l'avènement de Loki sera sur le point de s'accomplir.

Jörmungand-Shokk, l'homme qu'Angerboda avait désigné comme son fils, changea d'apparence en l'espace de quelques secondes. Son corps vieillit de plusieurs années pour approcher le même âge que Thorvald, soit environ soixante-quinze ans. Le visage et le corps de l'homme se métamorphosèrent au point de ressembler en tout point à ceux de Thorvald. Tous deux avaient maintenant la même taille, la même carrure. Leurs traits, identiques, dégageaient la même impression de dureté et de sagesse. Ils avaient la même chevelure blanche qui descendait jusqu'aux épaules, ainsi que la même barbe fournie et bien taillée. On aurait dit deux pères Noël, nobles et fiers, qui se jaugeaient avec méfiance, prêts à s'accuser l'un l'autre d'imposture.

— Mon fils a un pouvoir particulier, révéla Angerboda. Il arrive à se métamorphoser et à prendre l'apparence des gens.

— Ça ne change rien ! lança Thorvald en s'adressant toujours à la sorcière. Il est et restera toujours un démon !

Jörmungand-Shokk secoua la tête :

— À partir de maintenant, je suis toi, répliqua-t-il sans la moindre émotion. Et je me chargerai de visiter Belle-de-Jour et de remettre les deux médaillons au jeune Noah Davidoff, en ton nom.

— Je ne te laisserai pas faire !

— Plus rien ne pourra l'empêcher, maintenant, dit Angerboda avec la petite voix posée de Rose.

— *Nasci Byrgi !* lança le sosie de Thorvald avant qu'apparaisse dans sa main une gigantesque épée de glace.

Le fils d'Angerboda bondit en direction de Thorvald. Ce dernier n'avait plus les réflexes d'autrefois. Son sosie lui transperça la poitrine avec sa lame de glace sans que le pauvre homme ait le temps de réagir, puis la retira aussi sec. Les yeux écarquillés, Thorvald lâcha sa mallette, qui tomba au sol. Le vieux chevalier fulgur expira un dernier souffle, puis s'effondra sur le sable humide de la plage, mort.

Le fils d'Angerboda se pencha, prit la mallette et retourna vers la jeune fille.

— Alors, qu'en dis-tu, mère ? Je ressemble à un chevalier fulgur ?

— C'est parfait, mon petit. Et maintenant, retournons à Belle-de-Jour, et espérons que cette maudite prophétie se réalisera bientôt. Peut-être pas aujourd'hui, ni demain, mais certainement dans quelques années, lorsque Noah Davidoff et Arielle Queen seront devenus de jeunes adultes et qu'ils uniront, pour nous, les médaillons de Skol. Puisque nous ne pouvons plus retourner dans l'Helheim, c'est Loki qui viendra alors à nous. Et nous régnerons sur ce monde ensemble, mon chéri. Tous les quatre, Loki, Fenrir, toi et moi, nous deviendrons les seigneurs tout-puissants de Midgard et asservirons tous ses sujets.

1

Arielle a bu l'eau de l'Evathfell
et entamera bientôt
son second voyage vers l'Helheim.

Son corps est maintenant celui d'une très vieille femme. Sa chair a perdu toute couleur et prend rapidement l'apparence de celle d'un cadavre desséché.

Razan court vers elle.

— Arielle, attends! Noah ira avec toi, s'écrie-t-il une fois qu'il a rejoint la jeune fille. Il te retrouvera là-bas, fais-moi confiance. De mon côté, je me chargerai de retenir Kalev ici. C'est un monstre, princesse. Il pourrait mettre ta vie en danger…

Le corps squelettique et fossilisé d'Arielle a commencé à se fissurer. Il est sur le point de se briser et d'être réduit en poussière, mais la jeune élue dispose encore d'un peu de force et de lucidité, suffisamment pour avouer enfin ses sentiments à Razan:

— Je t'aime, lui souffle-t-elle avant de fermer les yeux et de disparaître.

Les restes d'Arielle forment un nuage épars qui flotte un moment au-dessus de Razan avant de filer vers la fontaine et de s'engouffrer dans la gueule du loup.

Razan se retrouve alors seul. Seul face à Noah Davidoff et au prince Kalev de Mannaheim. Noah occupe dorénavant le corps du jeune fulgur Tomasse Thornando, tandis que le prince Kalev s'est incarné dans celui de Karl Sigmund, un ami et associé du défunt Laurent Cardin, principal commanditaire des chevaliers fulgurs des loges America et Europa.

Kalev fixe Razan avec un petit sourire en coin, avant de lui dire :

— Elle n'était pas sérieuse. Tu le sais, n'est-ce pas ?

Kalev fait bien sûr allusion à la déclaration d'amour d'Arielle.

— Elle a dit ça pour me défier, poursuit le jeune prince, toujours à l'attention de Razan.

Mais ce dernier ne bronche pas.

— Ne l'écoute pas, Razan, lui conseille Noah. Il essaie de te provoquer.

— Vous faites équipe, maintenant ? siffle Kalev. C'est de Noah que tu devrais te méfier, Razan. C'est lui qui finira par tous nous trahir. Il est amoureux d'Arielle Queen, tout autant que nous le sommes. Et un homme amoureux est un homme dangereux, Razan, souviens-t'en. Aussi bien pour lui-même que pour les autres.

Razan se tourne vers Noah :

— Va rejoindre la gamine, lui dit-il en indiquant la fontaine du voyage. Kalev et moi, on a des comptes à régler.

Noah acquiesce en silence, puis, son épée fantôme bien en main, se dirige vers l'Evathfell. L'uniforme du garçon est celui d'un chevalier fulgur de l'ère moderne : il porte une combinaison et des bottes en cuir noir, comme celles des motocyclistes, ainsi qu'une paire de gants en fer conçus pour manipuler les marteaux mjölnirs. Quant à Kalev, il est vêtu d'un treillis militaire de couleur grise, et il est lui aussi armé d'une épée fantôme qu'il a sans doute ramassée par terre, à l'endroit où a dû se tenir un sylphor, ou peut-être même un alter, avant que les deux races ne soient éradiquées.

— Alors, tu vas laisser partir cet idiot de Nazar pour l'Helheim et pas moi ? demande Kalev à Razan en voyant que ce dernier s'avance vers lui.

Razan hoche la tête, puis déclare :

— C'est toi qui t'en es pris à Arielle le soir de son quatorzième anniversaire, n'est-ce pas ? C'est donc à toi que je dois cette jolie cicatrice, ajoute-t-il en désignant la longue balafre sur sa joue droite. J'ai toujours pensé que c'était Noah qui avait fait l'idiot ce jour-là, mais maintenant je sais que c'était toi, Kalev.

Celui-ci fixe un instant Razan avec sérieux, puis éclate de rire.

— Je n'ai rien à faire de ce que tu sais, ou de ce que tu crois savoir ! ricane le prince en se dirigeant à son tour vers la fontaine.

Razan s'immobilise devant Kalev pour lui barrer la route. Il lui fait comprendre très clairement qu'il ne le laissera pas s'approcher de l'Evathfell.

— Ôte-toi de mon chemin ! ordonne Kalev, dont la gaieté a soudainement disparu. Tu n'es qu'un vulgaire laquais ! Ton rôle est d'obéir ! Je suis ton maître, le souverain de Mannaheim !

— Je n'ai pas de maître, rétorque Razan le plus calmement du monde. Je n'en jamais eu et n'en aurai jamais.

— Tu n'es pas aussi fort que tu le crois, mon cher. Que fais-tu de Loki et de Reivax ? Tu leur obéissais, non ? Docile comme un petit chien.

— Et j'ai fini par les trahir. Tous les deux.

— C'est souvent ce qui arrive aux animaux domestiques maltraités par leur maître. Ils finissent par se révolter lorsqu'ils réalisent que la main qui les nourrit aime aussi les frapper et les punir. Moi, contrairement à ces maîtres cruels, je traite bien mes animaux. Tu devrais me laisser la chance de te le démontrer, Razan.

Derrière eux, Noah ramasse le gobelet laissé par Arielle et le place sous le bec de l'une des chouettes afin d'y recueillir l'eau de la source.

— Merci, Razan, dit-il avant de porter le gobelet à ses lèvres. Je vais prendre soin d'Arielle, tu peux compter sur moi.

Razan tourne la tête et jette un coup d'œil en direction de Noah, tandis que ce dernier vide d'un trait le contenu du petit récipient. Ce moment de distraction suffit à Kalev pour échapper à la vigilance de Razan. Le prince en profite pour lever son épée et lancer sa première attaque. Razan a tout juste le temps de voir le corps momifié de Noah se désintégrer et disparaître dans la gueule du loup avant de se retourner et d'esquiver *in extremis* l'assaut de Kalev.

— Tu es beaucoup moins rapide maintenant que tes réflexes sont ceux d'un humain, le raille Kalev en se préparant à une nouvelle offensive. Dommage que ta puissance d'alter ait disparu en même temps que les médaillons demi-lunes !

Kalev a raison, même s'il est pénible pour Razan de l'admettre. Depuis qu'il ne porte plus le médaillon demi-lune, ses attributs d'alter (sa force, ses pouvoirs et ses réflexes surnaturels) ont tous disparu. Finis les envols spectaculaires et les numéros de haute voltige. Finis les records de saut en longueur et les acrobaties improvisées. Finis les invocations d'uniforme et les baisers qui modifient les souvenirs. La seule chose que Razan a conservée de son ancienne vie, c'est sa personnalité désobligeante et son corps d'apollon. Bien qu'il soit convoité par Kalev – et peut-être aussi par Noah –, ce magnifique corps d'alter appartient à Razan dorénavant, et à lui seul. Il ne laissera plus jamais personne s'en emparer, ni même le revendiquer.

— Je n'ai peut-être que l'apparence d'un alter, rétorque Razan, mais je n'ai rien oublié de l'art de manier l'épée. Aucun pouvoir particulier n'est nécessaire pour ça, il ne s'agit que d'habileté et de stratégie. Et puis, tu es humain, toi aussi, mon cher Kalev, alors nous sommes à égalité !

Kalev secoue la tête tout en brandissant de nouveau son épée fantôme.

— Toi et moi, à égalité ? Désolé de te décevoir, mais c'est loin d'être le cas : tu n'es qu'une infime partie de moi, Razan, ne l'oublie pas !

— Une partie qui rejette entièrement ce que tu es.

— Et sans laquelle je suis encore plus fort, précise Kalev sur un ton satisfait. C'est ironique, tu ne trouves pas ? Je ne m'en étais pas rendu compte avant aujourd'hui, mais pendant tout ce temps, c'est toi qui me rendais si fragile, Razan. Une fois débarrassé de toi, j'ai compris que j'étais enfin délivré de ma bonne conscience et que je n'éprouvais plus le moindre remords. Tu avais sur moi l'effet que Noah avait sur toi : ta lâcheté et ta médiocrité m'ont affaibli, mais ce n'est pas le plus déplorable. Ce qui est encore pire, c'est que cette faiblesse, ta faiblesse, a servi pendant toutes ces années à dissimuler ma force réelle. À présent, tout cela est bel et bien terminé. Je suis Kalev, mais sans Razan. Je suis un prince, sans regrets et sans pitié.

— Sans morale, tu veux dire, réplique aussitôt Razan.

— Ce qu'il faut pour régner sur ce monde, ce n'est pas de la morale, mon frère, mais de la vision. C'est ce qu'ont eu en commun tous les plus grands dirigeants de Midgard.

Razan lève son épée et se met lui aussi en position d'attaque.

— Ça suffit, les discours. Si on passait aux choses sérieuses ?

Kalev approuve de la tête :

— Je connais tes pensées, Razan : je peux prévoir tes réactions et anticiper tes mouvements. Je sais de quoi tu es fait. Je sortirai vainqueur de ce duel, il ne peut en être autrement. En plus d'être le plus fort et le plus doué, j'ai l'avantage du terrain, comme qui dirait.

— Tu es un modèle d'humilité, Kal.

Le prince semble d'accord.

— D'humilité et de bien d'autres choses, répond-il avec son sourire malicieux et suffisant.

Leur épée bien en main, les deux rivaux se jettent l'un sur l'autre. Le tintement métallique produit par le choc des deux lames fantômes résonne dans toute la grotte. Mais Kalev et Razan n'en restent pas là : tous deux reprennent l'offensive sans tarder, enchaînant les assauts à une vitesse étonnante. De part et d'autre, l'objectif est de forcer l'adversaire à adopter une stratégie défensive ; il faut l'obliger à reculer, puis à effectuer des esquives et des parades, plutôt que de le laisser mener les attaques et contrôler ainsi le rythme de l'affrontement. Mais ce n'est pas chose facile, car Razan et Kalev sont tous deux d'excellents escrimeurs, et aucun n'est prêt à abandonner la lutte. Pas question de baisser les bras et de laisser son opposant avoir le dessus.

— Je dois rejoindre Arielle dans l'Helheim, déclare Kalev entre deux coups d'épée. C'est mon destin. C'est moi, l'élu !

— Tu m'en diras tant, répond Razan sans ralentir ses attaques.

Kalev exécute une parade, immédiatement suivie par une riposte.

— Il ne faut pas que cet idiot de Noah s'approche d'Arielle.

— Mieux vaut lui que toi, Kal ! réplique Razan.

— Elle est amoureuse de lui ! lance Kalev, convaincu que cela déstabilisera son adversaire. Arielle est amoureuse de Noah, et ce, depuis le tout début de leur aventure. Tu le sais tout autant que moi, Razan !

Les traits de Razan se durcissent. Il paraît plus tendu. De toute évidence, Kalev a touché un point sensible. L'évocation du seul nom d'Arielle a suffi à déconcentrer le jeune homme. Ses attaques sont soudain beaucoup plus espacées et se font de moins en moins puissantes, en plus de manquer de précision. Il suffit à Kalev d'accentuer la cadence de ses attaques pour prendre rapidement le dessus sur Razan.

— Elle amoureuse de Noah, renchérit Kalev en multipliant les assauts, mais plus pour très longtemps, car c'est avec moi qu'elle finira ses jours. Rien ne peut l'empêcher, Razan, c'est écrit. Son destin est d'épouser le roi de Midgard !

— Elle peut épouser le pape si ça lui chante ! rétorque Razan, qui effectue davantage de parades que de ripostes. Je n'en ai rien à faire !

— Inutile de mentir, Razan, tu le fais très mal ! À moi, tu ne peux rien cacher. Tu es tellement amoureux de cette fille que c'en est triste à voir. Cet amour te rend vulnérable ! Il te pousse à mettre ta vie en danger !

Kalev maîtrise parfaitement le combat, au grand déplaisir de Razan qui essaie tant bien que mal de renverser la vapeur. À plusieurs reprises, il esquive les attaques de Kalev, puis enchaîne avec une feinte et porte son fameux coup droit imparable, en vain ; c'est comme si son adversaire anticipait tous ses coups. *Normal, mon vieux,* se dit Razan, *ce petit salaud te connaît encore mieux que tu ne te connais toi-même !*

— Allez, Razan, insiste Kalev, avoue que tu t'es amouraché de cette petite !

— Tu regardes trop de *soaps* américains ! réplique Razan qui parvient enfin à contre-attaquer.

Mais son exploit est de courte durée. Kalev n'a pas l'intention de s'en laisser imposer et réplique avec encore plus de vigueur. Il effectue un rapide moulinet et tend son bras pour atteindre Razan au poignet. La touche est réussie, et la douleur oblige Razan à ouvrir la main et à laisser tomber son épée. D'un coup de pied, Kalev éloigne l'arme de son adversaire. Il bondit ensuite vers l'avant et assène un solide coup de poing au visage de Razan, assez fort pour l'envoyer au plancher. Razan reprend vite ses esprits et tente de se relever. Il pose tout d'abord un genou à terre et s'appuie sur sa jambe pour se redresser, mais il n'est pas assez rapide : Kalev brandit sa lame fantôme au-dessus de la tête de Razan et se prépare à l'abattre sur le jeune homme, comme un bourreau qui s'apprête à décapiter un condamné. Razan fixe son regard sur la lame bleutée et suit son mouvement vers le bas ; il sait qu'elle lui tranchera la tête dans une seconde et qu'il ne peut plus rien faire pour l'empêcher. La lame a presque atteint la nuque de Razan lorsqu'elle change soudain de direction. Ce n'est plus la lame incandescente qui s'abat sur le garçon à présent, mais bien la garde de l'épée. Elle se dirige droit sur son crâne. Kalev n'a pas l'intention de le tuer, mais espère seulement le blesser. Razan tente de protéger sa tête, mais se fige lorsqu'il entend le coup de feu. Un projectile touche alors l'épée du prince et la projette à plusieurs mètres de distance, tout juste avant que la garde ne heurte Razan.

Une fois la surprise passée, Razan et Kalev se tournent ensemble vers l'endroit d'où est venu le coup de feu. Leurs yeux se posent sur un groupe de soldats en uniforme. En fait, tout un peloton émerge lentement du puits du monte-charge et pénètre dans la grotte. Le tireur se trouve à la tête du groupe. Le canon de son 9 mm fume encore. À en juger par son uniforme et son attirail militaires, l'homme appartient aux forces spéciales américaines. *Un Navy SEAL, sans doute,* en déduit Razan qui, au temps où il était encore avec les alters, a appris à reconnaître les diverses organisations militaires. Les hommes qui accompagnent le SEAL font eux aussi partie de troupes d'élite provenant de différents pays. Razan reconnaît des commandos du GIGN français et du SAS britannique. Il y a aussi des hommes du ESI belge et du GSG-9 allemand.

— Qui êtes-vous et qu'est-ce que vous faites ici? demande le SEAL sans abaisser son arme.

« Qui êtes-vous ? », c'est bien ce que le militaire a demandé ? Kalev et Razan échangent des regards hésitants. Sur le coup, ils ne savent pas quoi répondre. Il est hors de question de dire la vérité. Comment ces militaires pourraient-ils croire, ou même comprendre, que l'un d'eux est le futur roi des hommes et que l'autre en est une sorte de double épuré ? Même pour Razan, cette histoire de « double épuré » n'est pas encore très claire.

Des mannalters..., songe cette fois Kalev après avoir fouillé la mémoire de son hôte, Karl Sigmund. *Des commandos humains qui se sont alliés aux alters pour faire la chasse aux sylphors.* Les souvenirs de Sigmund révèlent au prince que ces soldats sont les représentants des nombreuses nations qui ont uni leurs forces à celles des alters intégraux (croyant à tort que ces derniers étaient des humains, et non des démons) pour faire la chasse aux sylphors et envahir un à un leurs repaires, tels que le Canyon sombre et la fosse nécrophage d'Orfraie. Cette force combinée d'alters et d'humains était dirigée par Nayr et le colonel Xela, deux puissants alters intégraux infiltrés dans les hautes sphères du pouvoir. Une fois les médaillons demi-lunes réunis et les alters disparus de la surface de la Terre, les soldats humains se sont retrouvés seuls, privés de leurs alliés en même temps que de leur commandement. Mais qui les dirige à présent, et quelle est leur mission maintenant que tous les sylphors ont été tués ?

— Mon nom est Karl Sigmund, déclare enfin Kalev.

— Sigmund ? répète l'homme. Ce nom me dit quelque chose.

— Je suis l'associé de Laurent Cardin, explique Kalev. Nous sommes tous les deux propriétaires de… euh… de la société immobilière Volsung… et aussi de Maughold Airlines, la compagnie aérienne, et de Northern Pharos, le plus grand bâtisseur de phares au nord de l'équateur.

Le SEAL approuve d'un signe de tête.

— Je me souviens maintenant, fait-il en continuant de hocher la tête. Votre copain, Cardin, finançait des milices privées, n'est-ce pas ? Ses hommes et lui nous ont aidés à faire la chasse aux elfes noirs à quelques occasions dans le passé. Mes infirmiers ont découvert son cadavre, là-haut, parmi les débris d'un trépan mobile. Vous saviez qu'il était décédé ?

— Oui, malheureusement, répond Kalev, tout en réprimant son envie d'ajouter : *Bien sûr que je le sais, pauvre idiot, c'est moi qui l'ai tué !*

— Nous avons également perdu beaucoup de nos hommes aujourd'hui, explique le SEAL. Plusieurs sont morts au combat. Mais ce qui est étrange…

Il hésite un instant, puis finit par se lancer :

— Ce qui est étrange, c'est que nous avons perdu plus de la moitié de nos troupes, il y a quelques minutes à peine. C'est difficile à croire, mais elles se sont… volatilisées.

Ces troupes dont il parle étaient composées de commandos alters, songe Kalev. Des intégraux infiltrés dans les rangs des armées humaines. Ils ont été détruits en même temps que tous les autres alters de Midgard, au moment où Arielle et cet imposteur de Razan ont uni les médaillons demi-lunes.

— Et lui, qui c'est? demande le SEAL.

À présent qu'il a identifié Karl Sigmund, l'homme pointe son arme uniquement sur Razan.

— Et pourquoi porte-t-il ce costume de carnaval? ajoute le militaire en faisant allusion à l'uniforme d'alter dont est vêtu Razan.

— Un costume de carnaval? ne peut s'empêcher de répéter ce dernier, visiblement offusqué. Tu sais ce qu'elles m'ont coûté, ces fringues? Tu ne pourrais jamais te payer ce genre de cuir, mon grand, même avec un an de ta misérable solde. Ce manteau et ces bottes ont été faits sur mesure par Jean Paul Gaultier lui-même!

En vérité, les commentaires du SEAL n'ont pas vraiment offensé Razan — du moins, pas autant qu'il le laisse paraître. Même s'il n'apprécie pas beaucoup qu'on se moque de ses vêtements, il ne serait jamais assez fou pour s'emporter de la sorte contre un soldat d'élite de la trempe des SEAL. Pourquoi le fait-il alors? Parce que c'est la seule façon qu'il a trouvée de provoquer le militaire.

— Et alors? rétorque ce dernier. Qu'est-ce que j'en ai à faire, moi, de Jean Paul Gaultier, hein? Et d'ailleurs, les types qui se vêtissent de cuir des pieds à la tête, j'ai toujours trouvé ça suspect!

— Tu sais ce qui est suspect, Rambo? réplique aussitôt Razan. Ta sale gueule de constipé!

Les membres des forces spéciales ne sont pas des militaires ordinaires; ce sont des hommes bien entraînés qui démontrent une concentration à toute épreuve, dans les meilleures situations comme dans les pires. Razan est tout à fait conscient que le moindre faux pas lui vaudra une balle entre les deux yeux. Pourtant, il doit trouver un moyen de distraire les membres des forces spéciales, au moins pendant une seconde ou deux, le temps de récupérer son épée fantôme. Si ce faux jeton de Kalev parvient non seulement à convaincre les militaires qu'il est Karl Sigmund, mais aussi qu'il est de leur côté, il réussira sans problème à les persuader que Razan représente l'ennemi. Celui-ci doit donc agir vite avant d'être pris au piège et de se retrouver seul contre tous. En temps normal, il lui aurait suffi d'exécuter un saut périlleux suivi d'une roulade pour récupérer son épée. Mais, privé de ses pouvoirs d'alter, il lui faut trouver autre chose. Et cette autre chose, c'est la provocation. Selon l'avis de plusieurs, il y excelle.

— Allez, amène-toi, insiste Razan tout en levant les poings. Je vais te montrer qui est le plus fort.

— Tu es sérieux, gamin? fait le SEAL, à la fois étonné et perplexe devant la témérité du jeune homme.

Les autres commandos semblent tout aussi surpris que leur collègue. Leur expression faciale est claire : « Non mais, il est suicidaire ou quoi, ce gars? Il veut vraiment se frotter à un Navy SEAL? À celui-là, en plus? ! »

— Je suis très sérieux, affirme Razan. Approche-toi, casse-noisettes, qu'on s'amuse un peu.

— Tu sais qui je suis ? l'interroge le SEAL. Mon nom de code est Croque-mort. Jamais entendu parler ?

Razan se met à rire, puis déclare :

— Je croyais que ta bande de fillettes et toi étiez spécialistes des opérations clandestines. Si des gens ont déjà entendu parler de toi, c'est que tu es plutôt nul dans ton boulot, non ?

Le militaire manque de perdre son calme. Razan évite d'afficher sa satisfaction lorsqu'il le voit serrer les mâchoires.

— Ne l'écoutez pas, il est dérangé, intervient Kalev qui commence à se douter que Razan prépare quelque chose. Pourquoi croyez-vous que je le combattais ? C'est un kobold, un allié des sylphors. Il a menacé de tuer tous les humains qu'il rencontrerait sur son passage.

C'est fait, se dit Razan. *En une seule phrase, il a réussi à les convaincre qu'il était leur allié et que j'étais l'ennemi à abattre.*

— Il faut le capturer, et vite ! insiste Kalev.

Me capturer ? se répète Razan, intrigué. *Mais pourquoi ne leur a-t-il pas suggéré de me tuer, tout simplement ?*

— « La seule journée facile, c'était hier ! », lance Croque-mort en citant la devise de son unité. Messieurs, poursuit-il en s'adressant aux hommes derrière lui, il est temps de nous occuper de notre jeune ami et de le réduire au silence une bonne fois pour toutes !

— Me réduire au silence ? se moque Razan. C'est tout ce que t'as trouvé comme réplique ?

Kalev, exaspéré, se tourne enfin vers Razan :

— Mais qu'est-ce qui te prend, imbécile ? murmure-t-il entre ses dents serrées. Tu veux te faire tuer ou quoi ?

— Ça te pose un problème, Kal ? Je croyais que c'était ce que tu voulais justement !

— Mort, tu ne me sers à rien.

Razan acquiesce avec un petit sourire, comme s'il venait de comprendre les motivations du jeune prince.

— Tu as besoin de mon corps, affirme-t-il. Tu veux le récupérer, mais tu ne veux surtout pas que je te le rende amoché, j'ai raison ?

Kalev grimace, puis répond :

— Disons que ce serait plus pratique s'il n'était pas troué de balles. Et au fait, ce n'est pas ton corps, précise Kalev, c'est le mien.

— Tu as pourtant failli le décapiter il y a une minute, ce superbe corps !

— Je n'avais pas l'intention de te trancher la tête, pauvre idiot, juste de t'assommer avec la garde de mon épée.

— Je vois. Alors, pour réussir à t'emparer de mon corps, il faut que je sois inconscient, c'est bien ça ?

Kalev approuve de la tête, bien malgré lui.

— D'accord, Kal, ajoute Razan avec un sourire en coin, mais si tu veux le garder intact, ce corps, tu devras m'aider à le défendre. Vu ?

— Vous avez fini de discuter ? demande Croque-mort. Un peu plus et on croirait que vous êtes copains tous les deux. Ne me dis pas que tu as essayé de nous rouler, Sigmund ?

Craignant soudain pour sa vie, Kalev s'empresse de réfuter les propos du SEAL.

— Moi ?… Jamais ! Je suis… Je suis un humain, et je suis avec vous, les gars ! J'essayais seulement de persuader le kobold de se rendre. Ce serait beaucoup mieux pour lui, non ? Et aussi pour nous… euh… pour vous, je veux dire. Vos supérieurs seraient sûrement très heureux que nous leur ramenions un kobold vivant, n'est-ce pas ? Les scientifiques pourraient l'étudier et…

Et c'est moi qu'il traite de lâche, ce sale trouillard ? songe Razan avec dégoût.

— Pas question de le ramener vivant, répond un des SAS britanniques à la place de Croque-mort. On le tue ici, sur place !

— Aucune pitié pour ces sales traîtres de kobolds ! renchérit un commando allemand.

Armes au poing, Croque-mort et les autres membres des forces spéciales s'approchent de Razan. À leur air déterminé, Razan conclut qu'ils n'ont pas l'intention de lui faire de cadeau. Leur réaction est normale, après tout : à cause de Kalev, les militaires croient que Razan est un serviteur kobold et, donc, un complice des « méchants » elfes noirs que ces commandos combattent sans relâche depuis plusieurs mois déjà. Sans doute les sylphors ont-ils massacré bon nombre d'humains durant ces batailles, assez pour créer un implacable désir de vengeance chez les soldats qui les ont affrontés et ont survécu.

Le SEAL n'est plus qu'à quelques mètres de Razan lorsqu'il s'immobilise complètement. Les autres militaires s'arrêtent eux aussi, mais demeurent légèrement en retrait derrière Croque-mort qui, Razan l'a compris depuis le début, est le meneur du groupe. *Mais qu'est-ce qu'ils attendent?* se demande-t-il en les observant tour à tour. *Pourquoi se sont-ils arrêtés aussi subitement?* Si Razan a volontairement énervé les commandos, c'était dans l'espoir qu'ils se mettent en colère, qu'ils prennent suffisamment la mouche pour foncer droit sur lui et lui régler son compte à coups de pied et de poing plutôt qu'à coups de feu. Il espérait provoquer une brève cohue, le temps de se rapprocher de son épée et de la récupérer enfin. Mais au lieu d'accélérer le pas et de se ruer dans sa direction, les hommes ont carrément été pétrifiés sur place, au centre de la grotte. Chacun de leurs mouvements a été interrompu en cours d'exécution, comme une scène de film que l'on fige à l'écran.

À présent, ils sont aussi immobiles que des statues de cire, et on jurerait qu'ils ont arrêté de respirer. Ils fixent le vide, l'air hagard, un peu comme s'ils étaient en transe. Razan a les yeux rivés sur Croque-mort lorsque celui-ci baisse soudainement la tête. C'est la seule partie de son corps qui a bougé, tout le reste demeure immobile. Lorsque le SEAL relève la tête au bout d'une seconde, ses yeux ont perdu leur aspect naturel : ses iris et ses pupilles ont disparu et ont été remplacés par le blanc opaque de la sclérotique, comme si les globes oculaires s'étaient révulsés.

Razan a un mouvement de recul lorsqu'il aperçoit les yeux blancs et lumineux de son vis-à-vis. Cet étrange regard, à la fois intense et impénétrable, lui donne froid dans le dos. Les autres commandos inclinent eux aussi la tête.

Lorsqu'ils la redressent, Razan remarque que leurs yeux ont aussi changé et ressemblent à ceux de Croque-mort. Ce dernier sort alors de sa torpeur et effectue un pas en direction de Razan. Les compagnons du SEAL ne tardent pas à imiter leur commandant et se remettent en mouvement. Razan se replie de nouveau. *Ils sont possédés*, songe-t-il tout en reculant vers l'Evathfell. Kalev, lui, s'est déjà réfugié derrière le bassin de la fontaine du voyage.

— Mais qu'est-ce qui leur arrive ? demande le prince.

— C'est une forme de possession intégrale, explique Razan, mais exercée à partir d'un autre royaume.

— Possession intégrale ? répète Kalev. Mais je croyais que tous les alters avaient disparu !

— Apparemment, ils sont de retour. Croque-mort et ses hommes sont habités par des entités étrangères qui viennent de beaucoup plus loin que Midgard. Probablement des alters de l'Helheim, des « super alters », comme on les surnomme, ou encore des « alters de l'enfer ». La plupart détestent tellement les humains qu'ils ont assassiné leur personnalité primaire dès la naissance. Ils sont pratiquement nés dans la citadelle de l'Helheim et y ont vécu toute leur vie, éduqués et formés à l'art de la guerre par d'autres alters de l'enfer. Ils constituent l'armée person-nelle de Loki et de Hel. Ce sont de redoutables guerriers et, d'après la légende, il n'y a que les guerriers berserks et ulfhednars qui peuvent rivaliser avec eux d'agilité et de puissance.

— Il n'y aucun problème, alors! fait Kalev, à la fois ironique et sûr de lui. Lorsque ta minable petite personnalité à deux sous s'est impunément séparée de la mienne, j'ai réalisé que tu possédais la puissance des anciens guerriers berserks. Étrange mais utile, me suis-je dit alors. J'ignore à quel moment tu as reçu ce don, et qui te l'a offert, mais je présume que ceux qui l'ont fait ont également eu le bon sens de te transmettre les techniques de combat ulfhednar. C'est le cas?

« Lorsque le garçon a vécu son premier jour, il appartenait déjà au clan de l'Ours, et non à celui du Loup ou du Taureau! tonne alors une voix rocailleuse que seuls Razan et Kalev peuvent entendre. *Le garçon n'est pas de sang ulfhednar ou einherjar, mais de sang berserk!* »

— Tu as entendu ça? demande Kalev, troublé par ces propos. On aurait dit la voix de… Non, ce n'est pas possible…

Kalev n'est pas le seul à avoir reconnu cette voix d'homme âgé, qui semble provenir du début des temps; elle paraît étrangement familière à Razan aussi, et cela ne manque pas de bouleverser le jeune homme qui tente tant bien que mal de ne pas le laisser transparaître.

— N'essaie pas de détourner la conversation, Kal, rétorque Razan d'un ton moins assuré que d'ordinaire. Si tu crois que je vais combattre seul ces mecs-là, tu te trompes. Allez, ramène tes fesses par ici!

« Il n'est pas ulfhednar, mais berserk! » insiste la voix.

C'est une voix d'homme et non de dieu, note Razan qui en a entendu plus d'une au cours des derniers jours. *Aucune chance que ce soit Thor, Loki ou encore Tyr. Ce n'est pas non plus la voix d'un sylphor ou d'un alter. Cette voix est humaine, et elle appartient à un vieil homme venant sans doute du passé. Mais le moment est mal choisi pour approfondir la question.*

« *Berserk, souviens-toi !* continue la voix avec la même énergie. *Souviens-toi de ces atroces parties de pêche durant lesquelles il s'amusait avec vous. C'est moi qui ai ravivé cette mémoire dans ton sang et cette rage dans ton cœur, afin que tu te débarrasses de lui et que tu puisses enfin retrouver la paix !* »

Razan s'impatiente, jugeant qu'il est temps de passer à autre chose : *D'accord, d'accord, on a compris, papi ! Pourquoi les voix mystérieuses ne s'identifient jamais, hein ? Ce serait tellement plus simple !*

Le SEAL — ou plutôt la créature qui occupe son corps — arbore soudain un large sourire, alors que ses yeux blancs et opaques sont toujours fixés sur Razan.

— Je ne pensais jamais te revoir un jour, cher élève, dit le SEAL.

Kalev lance un regard interrogateur en direction de Razan.

— Élève ?

Dans tout l'univers connu, une seule personne l'a jamais désigné de cette façon, et c'est le général Sidero, commandant suprême des alters de l'Helheim. C'est sous ses ordres qu'a servi Razan lors de son instruction militaire.

— Surpris de me voir ici, capitaine Razan ? demande Sidero avec la voix du SEAL.

La voix n'est pas exactement celle de Sidero, mais les mots et l'intonation sont bien les siens. Razan doit s'y résoudre, même si c'est à contrecœur : il y a de fortes chances pour que le général occupe désormais le corps du SEAL.

— Je croyais que vous ne quittiez jamais la citadelle, général !

Depuis toujours, Sidero vit derrière les hautes murailles de l'Helheim, comme tous les autres super alters. Il déteste les humains et ne s'est jamais incarné sur la Terre — du moins, jamais avant aujourd'hui. Pour Razan, sa présence ici ne laisse rien présager de bon. Quelque chose se trame dans l'Helheim, Razan en est convaincu. Sidero et ses super alters ont-ils fui le royaume des morts, ou sont-ils ici sur ordre de Hel et de Loki ?

— Qu'avez-vous fait de Croque-mort et des autres commandos ? lui demande Razan.

Sidero éclate d'un rire sonore, puis répond :

— Leur âme a été chassée de leur corps pour être remplacée par la nôtre. C'est ainsi que ça fonctionne, non ? Pourquoi s'en attrister, Razan ? Mais au fait, depuis quand t'inquiètes-tu du sort des humains ?

Razan hausse les épaules.

— Simple curiosité.

Sidero n'y croit pas un seul instant.

— J'ai une autre opinion à ce sujet : c'est peut-être parce que tu es toi-même humain, non ?

— Les nouvelles vont vite, à ce que je vois, fait remarquer Razan.

Sidero approuve de la tête :

— Comment se sent-on lorsque, du jour au lendemain, on passe de demi-dieu à vermine ? Ça ne doit pas être facile, n'est-ce pas ?

— À qui le dites-vous, général.

— On prétend même que tu as un prénom maintenant. À ce qu'on dit, tu te fais appeler Tom Razan…

— C'est tout à fait vrai, répond le principal intéressé, et j'en suis plutôt fier, général. Tom Razan, ça sonne plutôt bien, vous ne trouvez pas ?

— Non, dit Sidero. Ça ne sonne pas bien du tout. Tu ne fais plus partie des nôtres dorénavant. Même en tant qu'alter, tu étais déjà considéré comme renégat. Ta nouvelle condition d'humain n'arrange pas les choses, mon cher élève.

— Ne vous en faites pas, général, rétorque Razan sur un ton de défi. Je n'ai jamais eu de chance dans la vie, mais je m'en suis toujours bien tiré. Je survivrai cette fois encore.

— Ce n'est plus ton audace qui risque de te coûter la vie, jeune homme, mais ton optimisme.

— On verra ça.

Razan jette un rapide coup d'œil par-dessus son épaule, ce qui lui permet de repérer son épée fantôme. Elle repose dans un coin de la grotte, à moins de dix mètres de lui. Il lui faudra franchir rapidement cette distance s'il souhaite récupérer son arme avant que Sidero et ses compagnons ne lui tombent dessus. Il s'imagine déjà en train d'effectuer un sprint, puis de plonger au sol, les mains tendues vers l'avant pour mieux attraper l'épée. Une fois de retour sur ses jambes, il manierait la lame fantôme avec tant de puissance et d'adresse qu'il parviendrait à se débarrasser de la moitié de ses poursuivants, peut-être même davantage. Il lui suffirait ensuite de bondir par-dessus le général et le reste de ses hommes et de les surprendre par-derrière. Leur sort serait réglé en quelques coups d'épée. *Ouais, c'est exactement ce que tu aurais fait si tu avais encore tes pouvoirs d'alter*, songe Razan. *Mais à partir de maintenant, mon vieux, tu devras miser davantage sur la chance que sur ta force et ton agilité.*

Lorsqu'il reporte son regard sur Sidero, Razan réalise que son ancien instructeur et officier supérieur a remarqué l'épée lui aussi, et qu'il a probablement deviné ce qu'il a en tête.

— Ne fais pas l'idiot, Razan, lui conseille le général pour le dissuader de commettre l'irréparable. Je n'hésiterai pas à te tuer si tu tentes quoi que ce soit.

— Vous me tuerez de toute façon, réplique Razan.

Il tourne de nouveau la tête, mais cette fois son regard est davantage attiré par Kalev que par l'épée. Le prince a trouvé le gobelet qui sert à boire l'eau de l'Evathfell et s'apprête à s'en servir, non seulement pour quitter la grotte et ainsi échapper aux alters, mais aussi pour se projeter dans l'Helheim. Il faut à tout prix que Razan contrecarre ses plans. Il a promis à Arielle qu'il ferait tout ce qui était en son pouvoir pour empêcher ce cinglé de Kalev de les rejoindre dans le royaume des morts. Razan se retrouve donc face à un choix difficile : récupérer son épée ou empêcher Kalev de partir pour l'Helheim. S'il s'élance en direction de Kalev plutôt que vers l'arme, il n'aura plus aucune chance de sortir de la fosse vivant. Est-il prêt à faire ce sacrifice pour Arielle ? Pour assurer la sécurité de cette jeune fille qu'il apprécie beaucoup plus qu'il n'ose l'admettre ? *Tu es prêt à mourir pour cette fille ?* se demande-t-il. *Alors, c'est que tu t'es sacrément ramolli, mon vieux.* Il sent ses genoux faiblir et son cœur se mettre à battre plus vite à la seule pensée d'Arielle. *Non mais, c'est pas vrai ! Tu en pinces vraiment pour cette gamine, ma parole !* Il réalise soudain que sa seule véritable crainte est de ne plus revoir Arielle vivante. Il est prêt à se sacrifier pour elle, certes, mais ce qu'il souhaite par-dessus tout, c'est la serrer encore une fois dans ses bras et l'embrasser, comme il l'a fait alors qu'ils se trouvaient tous les deux au poste de surveillance en compagnie du dieu Tyr. Arielle avait eu besoin de ce baiser amoureux, de ce « dix-huitième chant », pour faire taire l'horrible bête qui rugissait en elle. Razan se souvient d'avoir posé ses lèvres sur celles de la jeune fille. Cela avait suffi à la calmer. La bête s'était alors retirée dans un endroit obscur en attendant son prochain éveil, et Arielle avait pu reprendre le contrôle de son corps. *Vraiment romantique, cette scène,* songe Razan, *mais le moment est mal choisi pour te la repasser. Focalise, mon grand ! Focalise !*

Le jeune homme parvient tant bien que mal à chasser Arielle de son esprit. Cela fait, il se concentre sur son précédent dilemme et envisage la possibilité de faire d'une pierre deux coups, c'est-à-dire récupérer l'épée fantôme et foncer ensuite sur Kalev pour l'empêcher de boire l'eau de l'Evathfell. Mais Razan a beau considérer sous tous les angles ses chances de réussite, il arrive toujours à la même conclusion : il n'est pas – ou plus – assez rapide. Il parviendra peut-être à accomplir l'un ou l'autre de ces exploits, mais certainement pas les deux.

— Je croyais pourtant que tu voulais t'emparer de mon corps, fait remarquer Razan à Kalev alors que celui-ci plonge le gobelet dans l'eau de la fontaine. Ce n'est pas en fuyant vers l'Helheim que tu y arriveras.

— Peut-être, admet Kalev en portant le gobelet rempli d'eau à ses lèvres, mais j'ai réfléchi et j'en suis arrivé à la conclusion que je tenais encore plus à la vie qu'à ton… qu'à mon corps, s'empresse-t-il de rectifier. Chacun ses priorités, pas vrai ?

— Vrai, répond aussitôt Razan. La mienne est de t'empêcher de t'approcher d'Arielle ! ajoute-t-il en bondissant par-dessus le bassin et en se jetant sur Kalev avant que celui-ci puisse avaler la moindre goutte d'eau.

— Ne fais pas ça ! le supplie Kalev en roulant sur le sol, entraîné par son agresseur.

Mais Razan ne l'écoute pas : après être parvenu à immobiliser Kalev sous lui, il écarte sauvagement le gobelet de sa bouche et lui envoie au visage un crochet du droit, puis enchaîne immédiatement avec deux directs de la gauche au menton. Kalev perd conscience et sa tête heurte lourdement sur le sol rocailleux de la grotte.

— Douloureux pour les jointures, lance Razan, mais c'est un véritable baume pour le cœur !

Razan savait qu'en choisissant de stopper Kalev, il choisissait aussi de se placer en position de vulnérabilité face au général Sidero et à ses alters de l'Helheim.

— Il est temps de se dire au revoir, Razan, déclare Sidero derrière lui, confirmant ses craintes.

Razan se relève, puis se tourne lentement en direction de Sidero et de ses hommes. Le jeune homme s'empresse de lever les bras en signe de soumission lorsqu'il voit que Sidero pointe de nouveau son browning 9 mm dans sa direction.

— Je me rends, l'informe-t-il, plus sincère que jamais.

Pour la première fois de son existence, Razan souhaite réellement se montrer prudent et rester en vie le plus longtemps possible. Pourquoi ? Pour revoir Arielle Queen au moins une fois. Une dernière fois, peut-être.

— Tu te rends ? répète Sidero en se moquant. Vraiment ?

— Vraiment, confirme Razan, qui s'inquiète soudain du ton ironique qu'a pris son ancien mentor.

Sidero laisse planer un bref silence, puis hausse les épaules et ajoute :

— Il m'est égal que tu te rendes ou pas, mon cher élève.

Le général s'adresse ensuite à ses hommes :
— Messieurs ?...

Les autres alters acquiescent tous d'un signe de tête. Ils sont prêts, semble-t-il. Mais prêts à quoi ? Certains vérifient leur pistolet automatique pendant que d'autres arment leur fusil-mitrailleur. En silence et avec une précision militaire, ils lèvent ensuite leurs armes et font feu en direction de Razan, sans l'ombre d'une hésitation, criblant le pauvre garçon d'une centaine de projectiles. Le corps de Razan est animé de violents soubresauts sous les nombreux impacts, puis est projeté loin vers l'arrière et s'écrase tout près de Kalev, toujours évanoui.

« *Souviens-toi !* fait de nouveau la voix du vieil homme dans la tête de Razan. *C'est moi qui ai ravivé cette rage dans ton sang pour que tu te débarrasses enfin de lui, pour que tu puisses enfin retrouver la paix, mon fils.* »

Sous sa forme alter, Razan aurait peut-être eu une chance de s'en sortir. Mais il est humain à présent, et pas un humain ne peut survivre à une telle pluie de balles. Cette fois, malheureusement, il n'y a plus aucune échappatoire possible. Plus jamais Tom Razan ne fera de sortie ou d'entrée remarquées. C'est terminé, bel et bien, mais lui-même ne le réalise pas encore. À la toute fin, lorsque son âme commence à se détacher de son corps, il croit s'endormir.

La toute dernière pensée de Razan en ce monde est pour Arielle Queen.

Elle est si belle dans ses rêves :

— Si tu savais, princesse…, murmure Razan avant d'expirer son dernier souffle et de mourir.

« *Pour que tu puisses enfin retrouver la paix…*

« *… mon fils.* »

Le général Sidero commande à ses hommes de ranger leurs armes, puis contourne le bassin de la fontaine et s'avance jusqu'au cadavre de Razan. Tout en examinant le corps inerte et criblé de balles de son ancien élève, il aboie des ordres aux alters intégraux derrière lui :

— Dépêchez-vous de me le découper en morceaux et de disperser ses restes ! commande-t-il sur un ton sans réplique. Il faut prendre nos précautions au cas où cet idiot aurait la mauvaise idée de revenir de l'Helheim. Sans son corps, il n'y parviendra pas.

— L'Helheim ? fait l'un des alters, intrigué.

Puis, comme s'il parlait au nom de tous les autres, il demande :

— Mais général, n'avez-vous pas dit que le royaume des morts allait être…

L'alter hésite un instant, puis se décide finalement à poursuivre :

— Qu'il allait être abandonné et détruit ?

Sans quitter Razan des yeux, Sidero répond :

— Abandonné, il l'est déjà.

2

*Le doux songe qui accompagne
Arielle dans son voyage vers
l'Helheim met en scène une seule
personne : Tom Razan.*

Noah ne sait pas danser, dit une voix à l'intérieur de la jeune fille. *Il n'a jamais su.*

Dans le rêve, Razan avance lentement vers elle. Après avoir posé un genou sur le sol, il prend doucement son visage entre ses mains. Lentement, il approche le sien de celui d'Arielle. Il caresse la joue de la jeune élue, puis se joint à son âme pour la réchauffer. Arielle entend soudain une douce musique qui ne semble provenir de nulle part. Elle est accompagnée de paroles inaudibles, des paroles étranges venues d'un autre temps.

— Le dix-huitième chant ne s'enseigne pas, murmure Razan à son oreille. C'est celui de l'amour.

Arielle ne comprend pas. Razan la fixe néanmoins dans les yeux, puis déclare :

— J'espère que ce baiser nous sauvera tous les deux, princesse.

Razan pose ensuite ses lèvres sur celles d'Arielle et l'embrasse tendrement. La jeune fille hésite à répondre au baiser du jeune homme, mais lorsqu'elle réalise enfin qu'elle est amoureuse de lui, elle finit par céder et ouvre la bouche pour y accueillir ses lèvres.

« *Love… This is just love.* »

Le songe se répète sans cesse pendant son trajet vers l'Helheim. Le seul fait de côtoyer Razan en rêve rassure Arielle. Bien qu'elle soit consciente qu'il ne se trouve pas réellement avec elle, la jeune fille se sent tout de même en sécurité.

Dès qu'elle a bu l'eau de l'Evathfell, Arielle est passée par les mêmes transformations que lors de son précédent voyage vers l'Helheim : son être s'est fractionné en plusieurs milliers de particules qui ont entrepris ensemble un long périple menant à un autre royaume, un endroit situé beaucoup plus bas dans l'axe du monde. Malgré le fait qu'elle ne soit plus « entière », Arielle se sent plus vivante que jamais. Elle se sent exister à l'intérieur de chacune de ces particules flottantes qui composaient jadis son corps. Ces dernières se sont mêlées à la sève de l'Ygdrasil, qui reflue vers les racines de l'arbre, là où se situent les royaumes les plus sombres de l'univers connu, tels que l'Helheim et le Niflheim. Arielle sait qu'elle pourra reconstituer son corps dès qu'elle le voudra, au moment où elle aura enfin quitté les vaisseaux de l'Ygdrasil et qu'elle franchira la brèche créée entre le monde des vivants et celui des morts. Ce passage servira de porte d'entrée à Arielle, mais aussi de sortie lorsque viendra le moment pour la jeune fille de quitter l'Helheim et de retourner vers Midgard.

L'adolescente n'est pas la seule à emprunter ce chemin. Il en va de même de ses compagnons, Brutal, Geri, Jason et Ael, ainsi que Leandrel et Idalvo, les deux elfes de lumière échappés de la fosse d'Orfraie, qui ont bu avant elle l'eau de l'Evathfell et qui l'ont précédée dans le passage. Ces six individus sont les protecteurs des élus, ceux qu'annonçait la prophétie. Six protecteurs chargés d'accompagner les deux élus dans l'Helheim et de les protéger contre tout ennemi, contre tout danger. Arielle est elle-même l'une de ces deux élus. L'autre est Tom Razan. Du moins, c'est ce qu'espère la jeune fille. Mais est-ce vraiment lui qui viendra la rejoindre dans l'Helheim? Non, le garçon a lui-même confirmé qu'il n'avait aucune envie de jouer les héros et de retourner dans le royaume des morts. «Noah ira avec toi, lui a-t-il dit tout juste avant qu'elle ne quitte Midgard. Il te retrouvera là-bas, fais-moi confiance.» Razan a ajouté qu'il empêcherait Kalev de partir pour l'Helheim, et c'est peu après qu'Arielle lui avouait son amour, tout juste avant de disparaître.

C'est la raison pour laquelle Razan occupe toutes ses pensées, et ce, depuis le début de son voyage. *Mais pourquoi tu lui as dit ça, hein?* se demande la jeune fille. La réponse lui vient aisément: elle n'a pas pu s'en empêcher, voilà tout. Ç'a été plus fort qu'elle; ces paroles sont sorties de sa bouche sans qu'elle puisse les retenir. *Es-tu réellement amoureuse de lui ?* Cette seule question la met dans tous ses états. Si elle avait été dans son corps, elle aurait senti son estomac se nouer à la seule pensée de Razan. Elle n'a jamais ressenti une telle chose auparavant, pas même avec Noah, et Razan ne lui fait cet effet que depuis peu. En fait, depuis qu'ils ont tous les deux uni leurs médaillons dans la grotte. Là, en le regardant dans les yeux, elle a compris qu'elle l'aimait. Loki venait alors de lui expliquer que son corps d'alter lui appartiendrait dorénavant : « *C'est Elleira qui vivait en étrangère dans ton corps,* lui avait alors révélé Loki, *et elle a fini par l'abandonner, car c'était dans l'ordre des choses. Elleira est morte, comme toutes les autres alters qui ont partagé le corps des élues Queen. Ce corps splendide, je t'en fais cadeau, comme je l'ai fait pour chacun des membres de ma lignée. Ari, tu es contente ?* »

Arielle n'avait pas répondu à la question du dieu. Elle s'était plutôt adressée à Razan :

— J'ai quelque chose à te dire.

— Dépêche-toi, princesse, avait répondu Razan en voyant les commandos alters qui se rapprochaient d'eux. Le troupeau arrive.

— Loki… Loki est mon père.

Razan avait hoché la tête.

— Je sais.

Il n'y avait pas la moindre trace de blâme dans le regard de Razan. Au contraire, Arielle y avait plutôt lu de la compassion. Tom Razan pouvait-il vraiment se montrer charitable et compatissant ?

Cette attitude avait complètement désarçonné la jeune fille.

— Arielle, réunissons ces médaillons, veux-tu? avait ajouté Razan avec une humanité qu'elle ne lui connaissait pas.

C'est à ce moment précis qu'Arielle a succombé à l'amour. Un amour qui existe en elle depuis un certain temps déjà, mais qu'elle a préféré ignorer, par crainte d'être blessée, mais surtout par culpabilité. Il y a eu tellement de morts depuis le début de leur aventure, tellement d'événements tristes se sont produits qu'elle ne peut se laisser aller à ce genre de frivolités. Frivolités, vraiment?

L'amour frivole, elle l'a peut-être éprouvé pour Noah, mais jamais pour Razan. À la seule perspective de ne plus le revoir, la jeune fille ressent une profonde angoisse. Il n'y a plus de doute dans son esprit: Razan est le second élu. Il faut que ce soit lui.

« Si tu fais les bons choix, c'est Kalev que tu finiras par choisir », lui a dit Absalona dans un autre songe. *Jamais!* se répète Arielle. *Jamais je ne choisirai cet abruti de Kalev.*

« Le second élu sera celui que tu aimeras à la toute fin, et pour toujours », a pour sa part affirmé Sim, et Arielle préfère croire les paroles de son oncle plutôt que celles de cette étrangère, Absalona, cette Lady de Nordland. Si Sim a dit vrai, alors le second élu ne peut être que Razan. Oui, ce sale vaurien de Razan, qu'elle aime plus que tout. Mais pourquoi éprouve-t-elle des sentiments aussi forts pour ce garçon? C'en est presque inconcevable. Brutal et les autres ne manqueront pas de lui rappeler comment Razan l'a traitée la première fois, dans l'Helheim. Ils lui rappelleront que Razan déteste les humains, qu'il n'aime rien ni personne. Et elle sera d'accord avec eux. Mais Razan n'est pas que cela. Et peut-être est-elle la seule à le voir. Tout au fond de lui, Razan est bon, Arielle en est convaincue. Certes, il a vécu comme un alter, dans la haine des humains et la crainte de l'amour (qui lui est supposément fatal), mais tout cela a changé : Razan est humain dorénavant. Combien de fois le garçon l'a-t-il sortie du pétrin ? Combien de fois lui a-t-il sauvé la vie ? Les autres peuvent dire ce qu'ils veulent, Razan est intervenu plusieurs fois pour la sauver. Il a toujours été là quand elle a eu besoin de lui, et elle est certaine que ce n'était pas uniquement dû au hasard ; le jeune homme l'aime lui aussi, depuis le tout début, et a cherché à la protéger. Il est amoureux, mais peut-être ne le réalise-t-il pas encore ? Peut-être n'ose-t-il pas se l'avouer à lui-même, ni aux autres ? *À quoi tu joues, Tom Razan ? Tu as peur de moi ou quoi ? Non, il n'a pas peur. Il y a autre chose.*

Lorsqu'ils se trouvaient tous les deux dans les cachots du manoir Bombyx, le garçon lui avait révélé que ce n'était pas Noah qui avait pris sa défense lorsqu'ils étaient enfants, mais que c'était lui, Razan, qui chaque fois était intervenu pour lui éviter des ennuis.

— J'ai maîtrisé la possession intégrale assez tôt dans mon enfance, lui avait-il expliqué alors. Pas aussi bien que Nomis, mais avec assez de talent pour réussir à contrôler Noah à quelques occasions. Surtout à l'école, et aussi lorsqu'il allait à la pêche.

— Tu mens, avait répondu Arielle, incapable d'y croire.

— Fouille dans tes souvenirs, lui avait dit Razan. Pas ceux que Noah t'a imposés, mais les tiens, les seuls qui soient véritablement réels.

Les souvenirs d'Arielle étaient alors remontés à la surface et elle avait compris que Razan ne mentait pas : ce n'étaient ni Simon Vanesse ni Noah Davidoff qui étaient intervenus pour la défendre en ces nombreuses occasions. C'était bien Razan. Le jour où il l'avait défendue contre le gros Simard, Arielle se souvenait de lui avoir souri. Le jeune Razan tenait un ballon dans ses mains. Hésitant, il s'était avancé vers Arielle. « Tu veux jouer avec moi ? » avait-il proposé. Arielle avait accepté, puis lui avait demandé comment il s'appelait. « Les gens m'appellent Noah, avait répondu le jeune Razan. Mais, quelquefois, je ne suis pas Noah. » Cette réponse avait fait rire Arielle, et le garçon avait ajouté : « Parfois, quand j'ai peur ou que je suis triste, je suis aussi Razan. »

« *Ce n'est pas la seule fois où Razan t'est apparu à la place de Noah* », dit une voix dans l'esprit d'Arielle. La jeune fille réalise que cette voix lui est familière : c'est celle qui s'est adressée à elle dans le caisson cryogénique, celle qui lui a révélé que Razan n'était pas un alter. Arielle est maintenant certaine que cette voix appartient à un dieu ; un dieu inconnu qui n'existe pas dans le temps présent. Un dieu qui viendra après. Un dieu du futur, celui qui régnera lorsque les hommes vivront en paix. Le dieu du renouveau. « *Tu as bien deviné, jeune Arielle. Mon nom est Tyr et je suis celui qui veillera sur les hommes au temps de la dernière phalène, puis à l'âge d'Odhal.* »

— Que voulez-vous ? l'interroge Arielle, tandis que son voyage incorporel vers l'Helheim se poursuit.

La jeune fille demeure lucide, malgré tous ces songes qui se succèdent dans son esprit.

« *Te dévoiler ce qui t'a été caché* », répond simplement le dieu.

Une fois de plus, Arielle est ramenée en arrière, dans le passé. La scène se déroule au manoir Bombyx. Arielle et ses compagnons sont revenus de leur premier voyage vers l'Helheim deux jours auparavant. Ce soir, on donne un bal au manoir en l'honneur du retour de Noah Davidoff. Seuls Arielle et ses compagnons sont au courant qu'une mission de sauvetage au royaume des morts a été nécessaire pour ramener Noah du côté des vivants. Pour le reste de la population de Belle-de-Jour – principalement à cause de Reivax et de sa campagne de désinformation –, le retour du garçon n'a rien à voir avec une résurrection miraculeuse ; en fait, il aurait simplement été victime d'une erreur médicale.

Arielle se voit entrer dans la salle de bal. Elle porte la robe rouge que Reivax a fait dessiner pour elle. Les invités sont incapables de détacher leur regard de la jeune fille. Ils s'écartent tous sur son passage. Ils sont tous envoûtés par son étonnante beauté. Mais elle ne se laisse pas déconcentrer; elle continue de marcher vers la piste de danse, où l'attend son cavalier : Noah Davidoff. À la vue de sa magnifique robe rouge, l'orchestre entame alors *The Lady in Red* du chanteur Chris de Burgh.

> *I've never seen you looking so lovely*
> *as you did tonight*
> *I've never seen you shine so bright*

Arielle se souvient qu'elle s'est alors prise pour Cendrillon, et que ce sentiment s'est intensifié lorsque les filles de l'équipe de gym se sont interposées entre elle et Noah, afin de lui bloquer le passage. Cette fois encore, elles agissent exactement comme les méchantes belles-sœurs du conte de fées.

— Qui es-tu ? demande l'une d'entre elles.

— Tu ressembles à Arielle Queen, prétend une autre. Mais en beaucoup plus jolie.

Arielle les gratifie de son plus beau sourire.

— Je suis sa cousine.

— La cousine d'Arielle ? Et c'est quoi, ton nom ?

— Vénus, déclare alors Noah, comme dans le souvenir d'Arielle. Son nom est Vénus.

Le garçon écarte les vipères et offre sa main à Arielle pour l'inviter à danser.

— Tu viens ?

« *Noah ne sait pas danser,* déclare le dieu Tyr. *Il n'a jamais su.* »

— Tu es la plus jolie, murmure Noah à l'oreille d'Arielle tout en l'entraînant au rythme de la musique.

« *Tu ne t'en es pas rendu compte, Arielle, mais ce soir-là, il a suffi d'une fraction de seconde à Razan pour avoir recours à la possession intégrale. C'est donc Noah qui t'a invitée à danser, mais c'est avec Razan que tu t'es avancée sur la piste.* »

The lady in red is dancing with me,
cheek to cheek
There's nobody here, it's just you and me

— Regarde les garçons autour de nous, dit Razan en l'entraînant au son de la musique. En ce moment, ils aimeraient tous être à ma place. Ça se voit dans leur regard. Chacun d'eux se dit : « Quelle fille superbe ! Pourquoi danse-t-elle avec lui et pas avec moi ? »

— Les filles aussi aimeraient bien que tu sois leur cavalier, renchérit Arielle pour répondre aux flatteries de son compagnon. Les gymnastes avec qui tu discutais tout à l'heure auraient été prêtes à bien des acrobaties pour une seule danse avec toi.

— Il n'y a qu'avec toi que je veux danser, petite princesse.

Petite princesse ? Alors c'est comme ça que tout a commencé ? Pourtant, dans le souvenir d'Arielle, son cavalier l'appelait « Vénus » pendant cette conversation. « *Razan a modifié tes souvenirs lorsqu'il t'a embrassée plus tard, dans le petit salon,* explique Tyr. *Il jugeait préférable de te laisser croire que c'était Noah qui avait dansé avec toi. »*

— Préférable ? Pour qui ? Pour lui ?

« Pour vous deux », répond Tyr.

« J'espère que ce baiser nous sauvera tous les deux, princesse. »

Tout en dansant, Arielle admire l'élégant smoking que porte son vis-à-vis.

— Gracieuseté de Reivax, l'informe Razan. Tout comme ta robe, je suppose. Le vieil alter voulait faire les choses en grand ce soir.

« Le vieil alter… voulait faire les choses en grand ce soir… », se répète Arielle. Cette voix, ces intonations, ce ton narquois, ils appartiennent bien à Razan. Pourquoi ne l'a-t-elle pas compris plus tôt ? Et pourquoi Razan ne s'est-il pas identifié ? Pourquoi ne pas s'être vanté qu'il avait pris possession de Noah ? Ce n'est pourtant pas son genre de se cacher derrière qui que ce soit.

« Razan a toujours ressenti un puissant désir envers toi, Arielle, ainsi que de profonds sentiments, qu'il a préféré combattre et même fuir, la peur au ventre, plutôt que de les affronter. Longtemps il a prétendu que ces émotions déchirantes ne venaient pas de lui, mais de Noah, alors que c'était tout le contraire. Si Noah t'a aimée, jeune fille, c'est à cause de l'amour que te porte Razan, et ce, depuis votre enfance, depuis que tu as accepté de jouer au ballon avec lui dans cette cour d'école. »

— Les gens m'appellent Noah. Mais, quelquefois, je ne suis pas Noah. Parfois, quand j'ai peur ou que je suis triste, je suis aussi Razan.

« *Pour cet enfant, et aussi pour le jeune homme qu'il allait devenir plus tard, l'amour a toujours représenté la mort et la faiblesse. C'est pour cette raison qu'il s'est montré aussi cruel envers toi lors de ton premier séjour dans l'Helheim. Dès le départ, il a voulu saboter votre relation. Il a voulu tout gâcher entre vous deux, pour ne pas avoir à composer avec ses sentiments. Il souhaitait que tu le détestes, Arielle, et il a bien failli réussir. Mais aujourd'hui tout a changé. Razan est différent. Il est Tom Razan maintenant ; un être humain, avec tout ce que cela comporte de mauvais, mais aussi de bon.* »

— Si Razan a déjà ressenti de l'attirance envers moi, c'est uniquement à cause de ma silhouette d'alter, rectifie Arielle. La petite intello rousse et boulotte, il n'en aurait pas voulu.

Mais au fond d'elle-même, Arielle souhaite se tromper ; et elle espère de tout cœur que Tyr soit du même avis.

« *Razan aime chaque version de toi, Arielle Queen*, poursuit le dieu du renouveau, comblant les espoirs de la jeune élue. *De la plus magnifique à la moins élogieuse. Tout chez toi séduit Razan, le meilleur comme le pire, tu peux me croire. Et l'amour, le vrai, celui qui traverse les années, n'est pas affaire de beauté, mais de cœur.* »

— C'est poétique, ce que vous dites, répond Arielle. Dommage que ça ne soit vrai que dans les chansons et les films.

Arielle se remémore soudain un autre événement, plus ancien encore que la fête donnée au manoir. Un événement qui s'est déroulé au tout début de leur aventure.

Arielle, Noah, Brutal et les deux dobermans se trouvent à bord d'une voiture conduite par l'oncle Sim. Le véhicule, poursuivi par plusieurs escadrons de sylphors volants, roule à vive allure sur le chemin du manoir Bombyx. Les elfes noirs pourchassent Arielle et ses compagnons depuis leur départ du motel Apollon, là où la jeune élue a été agressée par Emmanuel, son frère, tout juste avant qu'il n'achève son Élévation elfique.

Craignant de ne pouvoir semer les sylphors, Noah et Arielle sortent de la voiture par la lunette arrière dans le but de faire diversion. Une fois à l'extérieur, ils prennent leur envol et foncent droit sur les sylphors. Épées en main, ils s'empressent d'engager le combat, mais n'attirent à eux qu'une douzaine de sylphors ; les autres choisissent plutôt de continuer à suivre la voiture.

Au début de l'affrontement, Arielle se défend bien, mais elle est vite dépassée par la puissance de ses propres pouvoirs d'alters. Elle finit par perdre le contrôle au moment où deux elfes noirs surgissent devant elle et l'attaquent en duo. Arielle parvient à trancher la tête du premier avec son épée fantôme, mais le deuxième elfe se montre plus coriace.

— Il est rapide, celui-là ! s'écrie-t-elle à l'attention de Noah.

— Il a brisé ton rythme ! lui répond le garçon. Redescends au sol, je vais m'occuper de lui !

Mais l'elfe n'a pas l'intention de la laisser s'éloigner aussi facilement. Les assauts du sylphor se font de plus en plus agressifs. Arielle tente de résister, mais une intense douleur parcourt son bras. Pendant ce temps, Noah réussit à éliminer les autres sylphors, le dernier du groupe étant celui qui s'acharne sur Arielle. Noah se rapproche alors de la jeune fille et essaie d'attirer l'elfe noir dans sa direction, en espérant qu'il rompe le combat avec elle et l'engage plutôt avec lui. Mais le sylphor ne se laisse pas déconcentrer et continue de donner du fil à retordre à la pauvre Arielle. À bout de souffle et de forces, la jeune fille finit par abaisser sa garde. En bon escrimeur, l'elfe noir en profite pour lui donner un violent coup au visage avec la garde de son épée.

— NON ! crie Noah.

Contrairement à ce qu'Arielle a toujours cru, ce n'est pas Noah qui a crié à cet instant. C'est Razan. Razan qui venait d'écarter Noah sans le moindre remords et qui s'était approprié le contrôle de leur corps, celui qu'ils partageaient tous les deux depuis toujours. Arielle le réalise seulement maintenant, en revoyant cette scène grâce au dieu Tyr. Ce jour-là, elle n'avait pas remarqué que la voix et le regard du jeune homme avaient changé. Elle ne connaissait pas encore Razan, et ne pouvait pas s'imaginer qu'il pouvait remplacer Noah. Son Noah.

Après le coup du sylphor, Arielle est fortement ébranlée et laisse tomber son épée fantôme. Voyant cela, l'elfe s'empresse de lui asséner un second coup au visage. Blessée, en perte d'équilibre, Arielle échappe à la portance du vent et tombe en vrille vers le sol. Pendant sa chute, elle voit Razan au-dessus d'elle qui se débarrasse aisément du sylphor, puis qui plonge vers le bas, dans sa direction. Il espère sans doute la rattraper pour lui éviter une chute mortelle. La main ouverte et tendue de Razan est la dernière chose qu'Arielle voit avant de fermer les yeux et de sombrer dans l'inconscience.

Lorsqu'elle s'éveille, Arielle se trouve au sol, étendue sur le dos. Razan est allongé près d'elle et la regarde en souriant.

— Rien de cassé? lui demande le garçon.

Le visage d'Arielle lui fait horriblement mal, gracieuseté des deux coups qu'elle a reçus du sylphor.

— J'ai mal à la mâchoire, fait Arielle. À part ça, tout semble être OK. Tu m'as rattrapée juste à temps, pas vrai?

— Tu as fait une chute de plusieurs mètres. Une demi-seconde de plus et tu t'écrasais sur le sol comme un vieux fruit.

Razan l'aide à se relever.

— Tu es mon héros, déclare-t-elle en se massant la mâchoire.

— Vraiment? Alors, ça mérite un baiser, lui dit Razan en emprisonnant la nuque de la jeune fille dans sa puissante main de guerrier.

Il lui plaque un baiser sur la bouche, dont Arielle n'arrive à se défaire qu'au bout de longues secondes. Mais peut-être n'y met-elle pas toute la force nécessaire? Peut-être qu'elle aime cette étreinte, tout autant que lui?… N'empêche, lorsque leur baiser est enfin rompu, elle ne peut s'empêcher de le repousser, puis de le remettre à sa place. Pour l'Arielle Queen de cette époque, ce jeune homme est toujours Noah Davidoff, et non Razan.

— Non mais, tu es fou ou quoi ? Tu te prends pour qui, Noah Davidoff ? !

Razan ne peut s'empêcher de rire.

— Appelle-moi Razan, chérie. Et il faut bien prononcer le N de la fin, comme dans « banane », vu ?

— Ne fais pas l'idiot, Noah ! C'est pas le moment ! Grrr ! lance-t-elle tout en balayant de ses mains la poussière sur ses vêtements. Et qui t'a permis de m'embrasser comme ça, hein ?

— J'avais besoin d'une permission ?

— La mienne !

Razan se met à rire de plus belle et lui colle de force un autre baiser sur la bouche. Celui-là (Arielle ne le réalise que maintenant, en revoyant ce qui s'est passé) lui sert à modifier les souvenirs de la jeune fille. Après le baiser, Arielle ne se souvient plus de rien. Du moins, en ce qui concerne leur dernier échange, pour le moins féroce.

— Tu es mon héros…, répète Arielle, un peu confuse, comme si elle sortait d'un rêve.

C'est vrai, la jeune fille a tout oublié. Pour elle, Noah vient tout juste de l'aider à se relever. Elle n'a aucun souvenir de Razan. D'ailleurs, ce dernier n'a pas attendu avant de restituer le contrôle à Noah et de retourner se terrer dans les limbes de leur esprit.

— C'est vrai ? demande Noah.

Arielle paraît troublée, comme si elle ne savait plus où elle se trouvait.

— Quoi ?

— Que je suis ton héros ?

Arielle hésite un instant, puis finit par comprendre où le garçon veut en venir.

— Je blaguais, Noah.

— Ça veut dire tu n'es toujours pas amoureuse de moi?

Arielle sourit.

— Non, pas encore. Je devrais?

— Je t'ai sauvé la vie.

La jeune fille hausse les épaules, puis ajoute:

— C'est seulement dans les contes de fées que la princesse tombe amoureuse du vaillant chevalier. Au cas où tu ne l'aurais pas remarqué, notre histoire ressemble beaucoup plus à un mauvais film d'horreur pour ados qu'à un conte de fées.

C'est donc Razan qui l'a séduite ce soir-là, tout comme le soir du bal au manoir Bombyx. *Encore Razan! Toujours Razan!* songe Arielle, de retour dans la réalité. Elle ne peut contenir sa colère. *Depuis le début, c'est toujours lui! Mais qu'est-ce qu'il a de plus que les autres, hein? Qu'est-ce que ce faux jeton... ce vaurien... a de plus que Noah Davidoff, en vérité!?*

Le dieu Tyr ne tarde pas à lui fournir les explications désirées: «*Il est là, voilà tout. Il est là quand tu as besoin de lui. Il est là pour toi, que tu le veuilles ou non. Les autres sont trop faibles, Arielle Queen. Seul Razan est assez fort pour te tenir tête, pour t'aimer, pour te sauver de toi-même et des autres. Le chant qui résonne dans son cœur est le même qui vibre dans le tien. Vous êtes en concordance. En harmonie. Vous vivrez et vous vaincrez. Tu es sa princesse et il est ton héros. Les contes de fées existent, Arielle Queen.*»

Arielle réfléchit un moment, puis demande au dieu :

— Alors, cela signifie-t-il que Razan est le second élu de la prophétie ?

Un bref silence, puis Tyr répond : « *Bien sûr qu'il l'est.* »

— Absalona a pourtant dit que si je faisais le bon choix, je choisirais Kalev de Mannaheim.

« *Tu peux avoir confiance en cette Lady de Nordland, elle fait partie des nôtres, du peuple de la lumière. Souviens-toi, elle a également dit que l'élu t'aiderait à accomplir la prophétie, c'est vrai, mais que l'aventure ne se terminerait pas là. Autre chose doit venir ensuite. Il est possible qu'un autre homme t'aide à sauver le royaume de Midgard, Arielle, et peut-être uniras-tu ton destin à celui de cet homme, et non à celui de Razan.* »

— Vous parlez de Kalev de Mannaheim ? fait Arielle, sur le point de perdre patience. Jamais je n'unirai quoi que ce soit avec cet imbécile, vous m'entendez ?

« *Parfois, il est difficile d'échapper à son destin…* »

— J'ai échappé à bien pire ! rétorque la jeune élue sur un ton ferme.

« *C'est ici que nous devons nous quitter*, l'informe Tyr. *Ton voyage tire à sa fin. Mais nous nous reverrons, jeune Arielle. Garde espoir. Malgré tout ce qu'on peut croire, il se produit souvent de réels miracles. L'amour existe, Arielle Queen, et il arrive qu'il soit plus fort que tout.* »

Alors qu'Arielle achève son voyage vers l'Helheim, la présence de Tyr s'évanouit doucement dans son esprit et est remplacée par celle d'Abigaël, sa grand-mère. Les premières paroles d'Abigaël visent à rassurer sa petite-fille. Ces mots, elle les a déjà prononcés dans le tout premier songe qu'elle a partagé avec Arielle, celui de 1945 : « *Les choses ne sont pas toujours ce qu'elles semblent être*, avait dit Abigaël lorsque sa petite-fille pleurait la mort de Noah. *Ce qui importe, c'est que tu continues de croire que tout est encore possible.* »

— Grand-mère, comme j'aurais besoin de toi en ce moment, geint Arielle.

« *En ce monde, comme tu le sais, le corps n'est que l'ancre de l'âme*, poursuit Abigaël. *Une fois son ancre levée, ton âme a hissé ses voiles et a parcouru plus d'un royaume. Mais il est temps pour toi de naviguer vers la côte et d'accoster au prochain rivage. Lorsque nous nous reverrons, j'aurai beaucoup changé, Arielle, et toi aussi, mais tout restera encore à faire.* »

— Abigaël, je t'en supplie, dis-moi en qui je dois avoir confiance. Qui est l'homme qui se tiendra debout pour moi ? Qui est celui qui m'accompagnera jusqu'à la fin, jusqu'à ce qu'ensemble nous ayons vaincu le mal et connu l'amour ? Quel est le nom de l'homme qui me rendra heureuse, grand-mère ?

« *Il est non seulement l'élu de la prophétie, Arielle, mais, plus important encore, il est l'élu de ton cœur. C'est lui… C'est Razan.* »

Arielle sent qu'elle quittera bientôt le vortex intemporel qui a servi à la transporter de Midgard à l'Helheim. Le vide dans lequel elle voyage se fait de plus en plus oppressant, comme si les parois circulaires d'un tunnel s'étaient formées autour d'elle ; comme si les vaisseaux de l'Ygdrasil, à l'intérieur desquels elle chemine, se resserraient, se contractaient lentement autour des particules éparpillées de son corps, les forçant à se rapprocher les unes des autres, à se regrouper pour reconstruire son être physique.

— Tu en es certaine, grand-mère ? Tu es certaine que c'est Razan ? Je ne sais pas… je ne sais plus. Il me faut une preuve, quelque chose à quoi m'accrocher…

Arielle se sent enveloppée de chaleur, une sensation beaucoup plus réelle que l'impression de vide laissée par le vortex. Ceci indique qu'elle aura bientôt rejoint l'Helheim et qu'une porte s'ouvrira pour lui permettre d'effectuer ses premiers pas dans le royaume des morts.

« Je ne peux te fournir de preuve, ma chérie, répond Abigaël. Mais si tu écoutes attentivement le chant qui résonne dans ton cœur, tu y décèleras peut-être un écho du futur. Si les choses se déroulent comme elles le doivent, un jour, lorsque tu seras devenue reine de Brimir et souveraine de Midgard, un homme t'adressera ces paroles d'amour. Tu sauras alors si, oui ou non, tu as fait le bon choix. »

Des mots accompagnent effectivement le retour d'Arielle dans la réalité. Au début, elle a de la difficulté à les saisir, mais plus le décor et la température froide de l'Helheim se concrétisent autour d'elle, plus les paroles se clarifient. Elles sont prononcées par un homme à la voix grave. Un homme qui n'est pas de cette époque. Un être du futur, qui ne s'adressera à elle que dans plusieurs années, alors qu'elle-même aura vieilli. Cet homme, c'est son compagnon de vie, celui qui partagera son existence jusqu'à la mort, jusqu'à ce que tous les deux, ensemble, quittent cet univers. La voix, elle finit par la reconnaître. Elle est différente, plus âgée et plus posée, mais, malgré sa sagesse nouvelle, elle demeure la même : cette voix est celle de Tom Razan devenu adulte. Ces paroles, ce n'est pas aujourd'hui qu'il les adressera à Arielle. Ni demain. Plusieurs années passeront avant qu'elles soient prononcées et qu'Arielle les entendent : « *Je n'ai jamais voulu tomber amoureux de toi, princesse, mais ça s'est tout de même produit*, dit la voix sereine du vieux Razan. *Et maintenant, le mot « ensemble » est le seul qui me vienne à l'esprit quand je pense à toi, à nous. Ensemble, toi et moi, depuis toutes ces années. Ensemble maintenant, et pour tous les jours suivants. Ensemble, unis, car il en a toujours été ainsi de notre vie.* »

— Razan, où es-tu ? murmure la jeune élue à voix haute.

« *Main dans la main, pas à pas, à la fois enlacés et amoureux, nous avançons vers notre destin. Jusqu'à mon dernier regard, jusqu'à mon dernier souffle, je t'aimerai et te protégerai, Arielle Queen.* »

Arielle ne sent plus l'influence du surnaturel autour de son être. Elle est convaincue d'avoir repris sa forme matérielle dans un lieu qui fait partie de la réalité. Le sang recommence à circuler dans ses veines, et elle retrouve bientôt la maîtrise de ses muscles. Elle réussit à bouger ses bras et ses jambes, qui se sont reformés puis raffermis, comme tout le reste de son corps. Au bout d'un moment, elle arrive à remuer ses doigts et ses orteils. Sous ses pieds, elle sent le sol froid et dur d'une grotte. Une grotte de l'Helheim. Elle doit se concentrer pour écarter les paupières et ouvrir enfin les yeux. Lentement, le néant est remplacé la lumière ; une lumière éclatante, douloureuse. La chaleur se dissipe rapidement et laisse place à un froid cuisant, parfois accompagné de bourrasques aussi brèves que subites. Arielle en déduit que l'entrée de la grotte doit se trouver tout près.

La vision de la jeune élue n'est pas encore très bonne et ses jambes sont toujours chancelantes. Elle parvient néanmoins à faire un pas vers l'avant et discerne alors une forme sombre qui se dessine dans l'éclat de lumière provenant de l'extérieur. C'est une silhouette d'homme, et elle paraît s'avancer vers Arielle qui a aussitôt un mouvement de recul. Sans doute s'agit-il d'une sentinelle alter, postée dans cette grotte pour assurer la surveillance et la protection de cet accès à l'Helheim. Mais la silhouette, loin d'être hostile, s'empresse de tendre une main amicale en direction de l'adolescente pour lui signifier qu'elle n'a rien à craindre de sa part.

— Holà ! Pas de panique, princesse ! lance alors la silhouette en ricanant. C'est moi, ton petit Razan adoré !

La voix du vieux Razan résonne de nouveau dans l'esprit d'Arielle : « *Ensemble maintenant, et pour tous les jours suivants. Ensemble, unis, car il en a toujours été ainsi... de notre vie.* »

— Razan, c'est bien toi ? demande Arielle qui est sur le point d'éclater en sanglots. Je suis tellement heureuse d'entendre ta voix !

3

*Noah est le dernier du groupe
à quitter le vortex et à pénétrer
dans la grotte.*

Lorsqu'il surgit de la brèche et fait ses premiers pas dans l'Helheim, les autres constatent que Noah occupe toujours le corps du jeune chevalier Tomasse Thornando. Il porte l'uniforme noir des fulgurs modernes, et à sa ceinture pend une épée fantôme. Les gants de fer servant à manipuler les mjölnirs recouvrent ses mains et ses avant-bras, mais les deux holsters censés accueillir les marteaux magiques sont vides. Avant de perdre conscience et d'être habité par l'esprit de Noah, Thornando a goûté à la médecine du colonel Xela ; pendant cette brève confrontation, le colonel alter a rapidement désarmé le jeune homme d'origine hispanique pour ensuite expédier ses précieux marteaux dans un coin de la pièce, sous une pile de débris, là où ils échappaient à la vue de tous. N'ayant ni le temps ni l'envie de se lancer à leur recherche – les mjölnirs n'ont jamais été ses armes de prédilection –, Noah a donc négligé de les récupérer et a opté plus tard pour une épée fantôme, avec laquelle il est beaucoup plus habile.

Le premier à accueillir Noah dans l'Helheim est Brutal, et son accueil n'a rien de très amical, bien au contraire : il agrippe le jeune homme par son uniforme et le projette violemment contre une des parois rocheuses de la grotte.

— Où est Arielle ? s'empresse de demander l'animalter en attrapant de nouveau Noah par ses vêtements et en le forçant à se relever.

Après l'avoir soulevé de terre, Brutal plaque durement le garçon contre la muraille, lui coupant le souffle par la même occasion.

— Elle aurait dû arriver ici avant toi ! rugit l'animalter. Et où sont Razan et l'autre gugusse, Karl Sigmund ?!

— Kalev… de Mannaheim…, le corrige Noah en essayant de respirer.

— Peu importe ! Où sont-ils ? Réponds !

Brutal raffermit sa prise et jette de nouveau Noah contre le mur, ce qui arrache au jeune homme un gémissement de douleur.

— Doucement, le minet, conseille la voix de Geri, derrière Brutal.

— Ne te mêle pas de ça, Rantanplan !

— Je comprends que tu t'inquiètes pour ta maîtresse, répond Geri qui essaie de garder son calme, mais c'est à mon maître que tu t'en prends.

— Ton maître ? ricane Brutal. Tu en es certain ?

— Si tu ne le poses pas immédiatement, je serai forcé d'intervenir.

Brutal lâche Noah et le laisse choir sur le sol, puis se tourne vers le doberman avec un air menaçant.

— Tu vas intervenir, hein? fait Brutal sur le ton du défi. Et tu crois que ça m'intimide? Je n'ai jamais eu peur des stupides cabots dans ton genre!

— Du calme, mon gars, rétorque Geri. Je t'aime bien, mais fais gaffe à ne pas dépasser les limites, d'accord?

— Sinon quoi, hein?

Jusque-là, les autres membres du groupe ne se sont pas mêlés de l'altercation. Ils ont observé la scène en silence, ne sachant trop comment réagir. Certains, comme Leandrel et Idalvo, les elfes jumeaux, semblent s'en amuser, alors que d'autres, comme Ael et Jason, sont plutôt exaspérés par l'attitude enfantine des animalters; leur situation n'a rien de bien réjouissant. Ils ont une importante mission à effectuer. L'heure n'est pas à la dispute, mais bien à l'entente et à la coopération.

— Hé! ça suffit! intervient finalement Jason en se glissant entre les deux animalters qui ne cessent pas pour autant de se défier du regard. On se calme et on prend tous une grande inspiration, d'accord?

— Je veux savoir ce qui est arrivé à Arielle, grogne Brutal en baissant ses yeux félins sur Jason.

— Je comprends, répond le jeune fulgur. C'est ce que nous voulons tous, mais ce n'est pas en t'en prenant à Noah et à Geri que tu obtiendras plus vite une réponse.

— Voilà enfin un peu de sagesse, lance Geri sans cesser de fixer Brutal.

— Je… je ne sais pas où elle est, déclare Noah en tentant de se relever.

Geri s'approche du garçon et lui offre son bras en guise d'appui, afin de l'aider à se remettre sur ses jambes.

— Brutal a raison, elle est partie tout juste avant moi, poursuit Noah en se redressant. Elle a bu l'eau de l'Evathfell, puis je l'ai vue se désagréger et quitter Midgard.

Le jeune homme hésite un moment. Il scrute l'intérieur de la grotte à la recherche d'Arielle. Ne la voyant nulle part, il ajoute :

— Elle devrait être ici. Je… je ne comprends pas moi non plus.

Cette fois, c'est Ael qui s'avance et qui prend la parole :

— Selon ce que j'en sais, les départs et les arrivées se font toujours dans l'ordre. Alors, ça ne peut signifier qu'une chose : Arielle s'est bien matérialisée dans l'Helheim, comme nous tous, mais à un endroit différent.

Les deux elfes secouent la tête en même temps.

— C'est impossible, disent-ils à l'unisson.

Tous les regards se tournent vers eux.

— Nous n'avons ouvert qu'une seule brèche, leur révèle Idalvo.

— Et elle débouche ici, ajoute Leandrel. Il ne peut y en avoir d'autres.

— Et pourquoi pas ? fait Geri qui, comme tous les autres, a pris un air interrogateur.

— Un groupe de voyageurs ne peut ouvrir qu'un seul passage, explique Idalvo. Nous sommes tous arrivés par là, ajoute-t-il en désignant la brèche qui ressemble davantage à une nappe d'huile stagnante qu'à un passage entre les mondes. Et c'est par là que nous devrons tous repartir lorsque le temps sera venu. Il n'y a pas d'exception possible. Les voyages vers l'Helheim ne sont pas simples ; de toutes les citadelles, c'est dans celle de l'Helheim qu'il est le plus difficile de pénétrer. N'entre pas qui veut dans le royaume des morts. L'opération doit se dérouler selon certaines règles bien précises et...

— Attendez, nous avons oublié une chose importante ! l'interrompt Leandrel, absorbé dans ses pensées. Oui, il y a bien une façon de déjouer la procédure, soutient-il réflexion faite. Les morts ont tous leur propre point de sortie. Si un décédé croise un voyageur vivant pendant son trajet, il peut l'entraîner avec lui vers sa propre issue. Il est donc possible qu'Arielle ait été entraînée dans une autre grotte par un décédé dont l'âme était en route vers l'Helheim.

— Un décédé ? répète Brutal, qui ne paraît pas saisir les explications de l'elfe. Tu veux dire qu'un macchabée a... euh... kidnappé Arielle ?

L'elfe de lumière acquiesce :

— C'est un peu ça, dit-il. Quelqu'un est sans doute mort peu après le départ d'Arielle. L'âme du mort a croisé celle d'Arielle et l'a fait dévier de son trajet initial. Ils sont sortis ensemble à l'endroit où devait se rendre le décédé, ce qui signifie qu'à l'heure actuelle ils peuvent se trouver n'importe où dans l'Helheim.

— Mais je croyais que les morts étaient comme des zombies à leur arrivée dans l'Helheim et qu'ils entamaient machinalement une marche vers la citadelle, sans en être véritablement conscients.

— C'est vrai, en général, dit Ivaldor. Mais il arrive que les morts s'éveillent lorsqu'ils croisent un voyageur ou toute autre créature vivante à leur arrivée dans l'Helheim. La vie ramène le mort à la vie, en quelque sorte…

— Ce n'est pas tout à fait exact, rectifie Leandrel en adressant un regard réprobateur à son frère jumeau. Le décédé ne revient pas à la vie, puisqu'il est mort. Il retrouve plutôt sa conscience, ce qui est très différent. Il y a une distinction importante à faire entre un voyageur et un décédé. Tous ceux qui sont présents dans cette grotte sont des voyageurs. Nous sommes toujours vivants, ne l'oubliez pas, contrairement aux décédés, qui sont morts sur la Terre et qui sont expédiés ici pour terminer leurs jours dans le Galarif, la prison de l'Helheim.

— D'accord, on a tous compris, mais qui est mort ? demande Ael. Qui est le décédé qui a entraîné Arielle avec lui ?

— Ça ne peut être que Razan ou Kalev, répond Noah.

— C'est Razan! annonce une voix d'adolescente derrière eux.

La voix provient de l'entrée de la grotte. Brutal et ses compagnons se tournent en vitesse dans cette direction et aperçoivent immédiatement celle qui a parlé : il s'agit d'une jeune fille âgée d'à peine quinze ou seize ans. Elle est accompagnée d'un homme grand, aux cheveux longs et au regard sombre. Ce dernier est vêtu comme un alter, et un large sabre fantôme pend à sa taille.

— Razan est mort, ajoute la jeune fille sur un ton résolu. Son arrivée nous a été annoncée.

Ceux qui l'ont déjà vue ou connue ne peuvent se méprendre ; la jeune femme qui se tient dans l'ouverture de la grotte est rousse, petite et boulotte. Son visage est parsemé de taches de rousseur. C'est Arielle Queen, sous sa forme humaine.

— A… Arielle ? fait Brutal, incapable d'en croire ses yeux.

La jeune fille fait lentement non la tête.

— Ici, on me nomme Hati. Mais à une autre époque, j'étais…

— Elleira…, complète Noah.

4

*La vision d'Arielle s'améliore
et elle constate de ses propres yeux
qu'il s'agit bien de Razan.*

Elle tente tant bien que mal de contrôler ses élans amoureux et se retient pour ne pas courir en direction du garçon et se jeter dans ses bras. *Mais voyons, qu'est-ce qui t'arrive? L'amour t'a transformée en idiote ou quoi? Allez, un peu de contenance, ma vieille. Tu ne vas quand même pas te ridiculiser ainsi devant ce garçon. De toute façon, il se moquerait de toi. C'est Razan, après tout, ne l'oublie pas.*

Arielle se demande d'ailleurs si Razan fera allusion à ce qu'elle lui a dit avant de quitter Midgard. Le jeune homme lui reparlera-t-il de cet aveu ou évitera-t-il simplement d'aborder le sujet? *Il va l'éviter,* conclut Arielle, *car mentionner mes paroles l'obligerait à parler de ses propres sentiments, et c'est quelque chose qu'il déteste.* Du moins, c'est ce que la jeune fille présume. Jamais elle n'a entendu Razan parler de ses émotions. Pourquoi le ferait-il aujourd'hui?

— Euh… Razan, qu'est-ce que tu fais ici? lui demande Arielle, hésitante et maladroite.

« *Qu'est-ce que tu fais ici?* » répète Arielle à l'intérieur d'elle-même. *Tu n'as rien trouvé de mieux à lui dire? Quelle idiote!* Elle se trouve stupide d'avoir posé une telle question; pourtant, c'est la seule chose qui lui est venue à l'esprit.

Alors qu'elle s'approche doucement de Razan, la jeune fille sent monter quelque chose d'étrange en elle, une chaleur qui part de son bas-ventre et irradie dans tout son abdomen, avant d'envahir sa poitrine. Malgré tous ses efforts pour se raisonner, la jeune fille trépigne d'impatience. Elle a envie de se blottir contre Razan et de sentir ce dernier l'entourer de ses bras musclés. *Contrôle-toi! Contrôle-toi!* Elle remarque pour la première fois que le garçon est beaucoup plus grand qu'elle, plus massif aussi. Pourquoi n'a-t-elle pas vu ça avant? Razan est un gars solide, robuste, bien plus que ne peut l'être Noah, même lorsqu'il prenait sa forme alter. C'est plus fort qu'elle: Arielle se demande si Razan partagera un jour ses sentiments. Éprouvera-t-il autant d'amour et de désir qu'elle en ressent en ce moment pour lui? Elle ne pense qu'à ça, c'est devenu une véritable obsession. *S'agit-il d'amour?* se demande-t-elle. *Du vrai amour?* Elle a l'impression qu'elle en mourrait si jamais Razan la rejetait. *Tu es en train de devenir folle!* se sermonne-t-elle. *Razan, t'aimer? Razan n'aime personne, et surtout pas toi! Reprends-toi, nom de Dieu!*

Razan finit par hausser les épaules et répond :

— Ce que je fais ici ?

Le jeune homme paraît déçu ; il ne s'attendait certainement pas à une réflexion de ce genre.

— Eh bien, c'est simple, ajoute Razan. Ils m'ont tué, Arielle.

Arielle manque de s'étouffer : Razan, tué ?

— Quoi ? Mais qui a fait ça ? se hâte de demander la jeune fille.

— Sidero et ses alters. Ils m'ont transformé en passoire.

— Sidero ? fait Arielle, qui s'oblige une fois de plus à masquer son trouble en adoptant une attitude désinvolte. Ah, eh bien… euh… je ne connais aucun Sidero.

La jeune fille fait exprès de se montrer distante pour éviter d'en dévoiler un peu trop sur son véritable état. Elle préfère adopter une attitude détachée plutôt que de laisser transparaître cette fragilité qui s'est emparée d'elle depuis l'arrivée du garçon.

Razan examine la jeune élue un bref instant avant de lui demander :

— C'est tout ce que ça te fait, d'apprendre ma mort ?

Bien sûr que non, idiot ! se dit-elle. Elle est dévastée d'apprendre sa mort, mais montrer ce qu'elle ressent vraiment ? se trahir ?… Mais trahir quoi au juste ? *Un tas de choses,* songe-t-elle. *Des choses que je ne veux pas lui dire ou lui montrer. Des choses sur moi qu'il ne doit pas découvrir, qui doivent demeurer dans mon jardin secret.*

— Tu es sûre que ça va, princesse ?

Ça y est! Elle s'est fait prendre! Razan a remarqué quelque chose. Elle a rougi? Oui, c'est certainement ça : elle a rougi, et c'est ce qui lui a mis la puce à l'oreille.

— Ça va bien, tout va très bien, répond nerveusement Arielle. Pourquoi tu me demandes ça?

— Pour rien. Je te trouve un peu bizarre, c'est tout. Quelque chose te chicote? Tu m'as l'air... distraite. Rassure-moi et dis-moi que c'est l'annonce de ma mort qui te trouble à ce point.

— C'est vrai, je suis distraite, réplique Arielle, évitant ainsi de répondre à la vraie question. Mais on le serait à moins, non? Je m'attendais à retrouver Geri, Brutal et les autres et, à la place, je tombe sur toi.

Razan sourit.

— Après ce que tu m'as dit dans la fosse, je pensais que ça te ferait plaisir de me revoir.

Si Arielle n'était pas certaine d'avoir rougi plus tôt, cette fois son état est indéniable : le sang afflue à son visage et elle sent ses pommettes s'empourprer. Un bourdonnement sourd résonne dans ses oreilles et une brusque poussée de fièvre lui cause quelques étourdissements. Habitée à la fois par un sentiment de honte et de confusion, elle ne peut s'empêcher de baisser les yeux. *Il a entendu,* se dit-elle en fixant le sol. *Et il se souvient de ce que je lui ai dit.*

— Qui est Sidero? demande finalement Arielle sans relever la tête, ce qui l'empêche d'observer la réaction de Razan.

— Un général alter, répond aussitôt celui-ci. Qui a toujours vécu dans l'Helheim.

Le jeune homme a parlé vite et avec sérieux, peut-être pour aider Arielle à oublier sa gêne. Ce n'est pourtant pas dans les habitudes de Razan de montrer de la compassion pour ses semblables, mais Arielle songe qu'il a beaucoup changé depuis leur première rencontre, et encore plus depuis qu'il a découvert ses origines humaines. D'un démon alter sans foi ni loi, il est devenu un homme capable de sentiments. *Du moins, il s'en approche,* conclut-elle.

— Étrangement, ses soldats et lui se sont incarnés sur la Terre, poursuit Razan, dans les corps de plusieurs militaires humains qui se trouvaient dans la fosse. Je ne sais pas ce qui s'est passé lorsque nous avons réuni ces médaillons, Arielle, mais si certains alters ont été chassés de Midgard, d'autres, en revanche, y ont été amenés. Si tu veux mon avis, il y a quelque chose qui cloche dans cette histoire. J'ai l'impression qu'on s'est fait avoir, et je me trompe rarement lorsque je ressens ce genre de truc. J'ai moi-même roulé assez de gens pour savoir à quoi ça peut ressembler et…

— Je ne veux pas que tu meures…, déclare Arielle de façon inattendue.

La jeune fille rougit de nouveau. Le seul fait de se trouver en présence du garçon et de ne pouvoir lui dire ce qu'elle ressent pour lui est insupportable. Elle a résisté tant qu'elle a pu, elle a tenté de se raisonner, de se convaincre de garder le silence sur ses sentiments, mais la pression était trop grande et son cœur a fini par parler. Elle relève la tête et fixe le garçon droit dans les yeux. Razan ne paraît pas surpris. Il laisse s'écouler quelques secondes, puis fait un pas en direction de la jeune fille. Ils se font face à présent. Razan prend les mains d'Arielle dans les siennes et plonge son regard dans celui de l'adolescente.

— C'est gentil à toi, princesse, mais il est trop tard. Je connais assez bien Sidero pour savoir qu'il ne me laissera jamais revenir à Midgard.

— Mais tu n'auras qu'à revenir avec nous et à réintégrer ton corps !

— À l'heure qu'il est, Sidero et ses hommes ont déjà découpé ma carcasse en petits morceaux et les ont certainement répandus aux quatre coins de la Bretagne. C'est un vieux truc.

— Alors, tu reviendras dans le passé, comme Sim l'a fait, et tu les empêcheras de te tuer !

Razan fait non de la tête.

— Une fois qu'il y a eu décès, explique-t-il, le corps et l'âme sont indissociables. Même séparés par deux royaumes, ils demeurent liés l'un à l'autre. Que ce soit dans le passé, le présent ou le futur, le mort qui retourne sur la Terre doit le faire dans son corps d'origine. L'âme ne reconnaît que cet organisme ; la chair et l'esprit doivent se donner rendez-vous. Qu'importe à quelle époque l'âme retourne dans le monde des vivants, si son enveloppe charnelle n'existe plus, si elle a été détruite ou mutilée, le retour est alors impossible.

— Alors, moi, j'irai ! rétorque Arielle avec énergie. Je retournerai dans le passé et les empêcherai de te tuer !

— C'est délicat de ta part, vraiment, j'apprécie, mais on verra ça en temps et lieu.

Razan n'a pas tort, se dit Arielle. *Pour le moment, il y a d'autres priorités, comme retrouver nos compagnons.*

— Où sont Brutal, Geri et les autres?

— Aucune idée, répond Razan. La seule chose dont je me souvienne, c'est qu'en venant ici, mon âme a croisé la tienne et que je n'ai pas pu résister : il fallait que je m'accroche à toi et que nous finissions le voyage ensemble. C'est toi qui m'as réveillé, alors que je m'apprêtais à sortir de cette grotte pour entamer ma promenade vers l'Elvidnir, à moins deux cent soixante degrés sous zéro.

Voilà un autre problème, songe alors Arielle. Sans leurs pouvoirs d'alters, ils ne survivront pas longtemps à ce froid sibérien. Ils doivent trouver un moyen de se réchauffer.

— Noah est avec eux? demande Arielle. Tu l'as aidé à quitter la fosse?

— Affirmatif.

— Il est un des protecteurs de la prophétie, tu crois?

— Je ne sais pas ce qu'il est, Arielle, et pour être honnête, je m'en fous royalement.

Arielle a décelé une pointe d'impatience dans la voix de Razan. Se pourrait-il que le garçon soit jaloux de Noah? Elle lui a pourtant avoué n'être pas amoureuse du jeune homme. Pourquoi se sentirait-il menacé par lui, alors? *Tu divagues, ma vieille*, se dit Arielle. *Tu prends tes désirs pour la réalité. Pour être jaloux, il faudrait tout d'abord que Razan soit amoureux de toi, et rien ne te prouve encore qu'il le soit. Et au rythme où vont les choses, il y a fort à parier que tu n'obtiendras jamais cette preuve.*

— Razan, il faut se réchauffer, affirme la jeune élue, qui sent de plus en plus l'engourdissement du froid.

— C'est une tactique pour que je te prenne dans mes bras, chérie?

— Ne fais pas l'imbécile! Il faut trouver une source de chaleur, mais on n'y arrivera jamais ici.

Razan n'est pas certain d'avoir bien compris.

— Qu'est-ce que tu veux dire? qu'il faut quitter cet endroit? sortir à l'extérieur?…

— Et se dégourdir un peu, oui, confirme Arielle, sinon on finira en cubes de glace.

— Marcher? À cette température? Mais tu es folle!

— Regarde autour de toi! s'exclame Arielle. Il n'y a rien pour faire du feu ici. La seule option qu'il nous reste pour ne pas mourir d'hypothermie, c'est de trouver un endroit habité. Et si les morts peuvent marcher dans ce froid à leur arrivée dans l'Helheim, eh bien, nous aussi!

— Génial comme programme…, soupire Razan. Je suis obligé d'y aller?

— Non, répond Arielle tout en contournant Razan. Mais sache que moi, j'y vais, ajoute-t-elle en s'avançant vers l'entrée de la grotte. Alors, tu restes ici ou tu m'accompagnes? Tu ne me laisserais pas m'aventurer seule dans la toundra de l'Helheim, pas vrai? Allez, enlève-moi ce faux air hésitant, je sais que tu vas finir par céder.

Razan pousse un râlement, puis, d'un pas lourd, rattrape la jeune fille.

— Heureusement que tu es mignonne, prin-cesse, grogne Razan. Je m'en voudrais si ce joli minois se couvrait d'engelures.

Alors qu'ils se tiennent tous les deux dans l'ouverture de la grotte, le vent se met à souffler de plus belle.

— Une chose est certaine…, déclare Arielle entre deux bourrasques.

La jeune fille se tourne alors vers Razan, fière d'exhiber cet air à la fois confiant et satisfait.

— Ta présence ici confirme que tu es bien l'élu de la prophétie, dit-elle avec aplomb. Toi et moi, nous allons libérer ensemble les âmes prisonnières du Galarif, tel que le prédit la prophétie.

— Et ça te rend heureuse, pas vrai? grogne Razan sur ton irrité, alors que le vent et la neige refroidissent son visage. Je ne devrais même pas être ici! Je devrais plutôt me trouver sur une plage de Bora Bora, à me faire bronzer la poire au soleil en sirotant un Maeva bien frais. Mais non! À la place, je suis coincé ici, dans le congé-lateur de l'univers, à me geler les fesses pour accomplir une saleté de prophétie. Merde, Arielle, tu sais ce qu'ils mettent dans leurs cocktails Maeva? J'en salive rien que d'y penser: ils versent une bonne quantité de jus d'ananas bien frais, mon préféré, auquel ils ajoutent un peu de jus d'orange et des morceaux de pastèque, le tout mélangé avec de la glace et du sirop de fraise. Le sirop de fraise, c'est ce qui fait toute la différence. Et parfois ils les nappent même de crème chantilly!

— Arrête de te torturer comme ça, lui conseille Arielle qui se décide enfin à quitter la chaleur relative de la grotte pour affronter le vent glacial de l'Helheim, qui souffle en fortes bourrasques.

À contrecœur, Razan lui emboîte le pas.

— Saleté de climat…

— Il faut marcher jusqu'à la citadelle ! crie Arielle pour couvrir le bruit du vent. Je suis convaincue que les autres feront de même lorsqu'ils comprendront que j'ai atterri dans une autre grotte. On se retrouvera tous là-bas. C'est le point de rendez-vous qui m'apparaît le plus logique !

— La citadelle ? répète Razan. Holà, chérie ! Tu n'as jamais dit qu'il fallait marcher jusqu'à la citadelle !

— Tu connais un autre endroit habité dans ce foutu royaume ? Allez, conduis-nous là-bas !

5

*L'homme qui accompagne Elleira
n'est nul autre que Jenesek,
un maquisard du Clair-obscur.*

Le Clair-obscur est composé d'alters renégats qui s'opposent depuis longtemps à la tyrannie à laquelle Loki et Hel soumettent l'Helheim. Brutal, Leandrel et Idalvo sont les seuls à ignorer qui est Jenesek. Ael, Jason, Noah et Geri se souviennent très bien de lui ; c'est grâce à cet alter et aux autres membres de son groupe de résistants qu'ils ont tous pu quitter l'Helheim lors de leur dernière visite. Après les avoir aidés à s'échapper de l'Elvidnir, entre autres grâce à l'aigle Hraesvelg, le Mangeur de cadavres, Jenesek a raccompagné nos amis au lieu de leur arrivée, afin qu'ils puissent emprunter de nouveau le passage qui reliait alors l'Helheim à Midgard et ainsi retourner chez eux.

Dès que Noah a prononcé le nom d'Elleira, le regard de la jeune alter s'est orienté vers le garçon aux allures de chevalier fulgur et s'est fixé sur lui.

Déjà, Elleira a compris qu'il s'agit de Noah Davidoff, et ce, malgré que son apparence ait beaucoup changé. L'esprit du garçon a beau se trouver dans le corps d'un jeune fulgur d'origine hispanique, Elleira arrive tout de même à détecter sa présence.

— Noah…, souffle-t-elle. Je suis heureuse de te revoir.

— Moi aussi… Elleira, répond Noah avec une légère hésitation.

Est-ce vraiment elle? semble se demander le garçon.

La jeune alter est tombée amoureuse de Noah pendant son séjour à Midgard. L'amour étant mortel pour les alters, c'est ce qui a causé le décès d'Elleira et son départ pour l'Helheim. Avant de mourir, elle s'est d'ailleurs confiée à Arielle et lui a révélé la nature de ses sentiments pour le jeune Davidoff. La jeune alter s'est même servie d'Arielle, sa personnalité primaire, pour aller saluer une dernière fois son amoureux au manoir Bombyx.

Les sentiments d'Elleira pour Noah n'ont pas changé depuis son arrivée dans l'Helheim, bien au contraire: maintenant qu'elle ne risque plus rien, que son amour n'a plus rien de mortel, elle se sent encore plus attirée par le garçon. L'intensité du regard qu'elle lui adresse en ce moment trahit ses sentiments et convainc non seulement Noah de son amour, mais aussi tous ceux qui sont présents dans la grotte.

— Je n'ai pas pu vous saluer lors de votre dernière visite, dit-elle en cessant enfin de regarder Noah. Et j'en suis la seule responsable, malheureusement, continue Elleira en s'adressant cette fois à tout le groupe. Comme vous le savez, lorsque l'alter et sa personnalité primaire se retrouvent tous les deux dans l'Helheim, ils sont séparés l'un de l'autre et évoluent en deux entités bien distinctes. Normalement, l'alter conserve son corps d'alter et la personnalité primaire retrouve son corps d'humain...

Exactement comme ça s'est passé pour Razan et moi lorsque je suis décédé, se souvient Noah. Après avoir été tués par Emmanuel Queen, Noah et Razan ont abouti ensemble dans l'Helheim, mais à l'intérieur de deux corps différents. Noah a retrouvé son apparence originale et a été envoyé dans les prisons du Galarif, tandis que Razan a hérité du corps de l'alter avant d'être recruté dans la garde personnelle du dieu Loki.

Elleira poursuit :

— Mais lorsque je suis morte, j'ai légué mon corps d'alter à Arielle, sachant qu'elle en aurait besoin pour lutter contre ses ennemis. Pendant des années, ce corps a été le mien, mais lorsque j'ai quitté Midgard, il est devenu la propriété exclusive d'Arielle Queen. J'ai donc été privée de mon être charnel dès que je suis arrivée dans l'Helheim. Voilà pourquoi je n'ai pu me montrer à vous. J'aurais bien aimé, pourtant..., murmure-t-elle en reportant son regard sur Noah.

Tout juste avant leur départ de l'Helheim, lorsque Arielle avait remercié Jenesek et ses maquisards de les avoir aidés à s'échapper de l'Elvidnir, le grand alter avait répondu ceci :

— C'est Hati, notre chef, qu'il faut remercier. C'est elle qui a planifié cette opération.

— Elle est avec vous?

— En esprit seulement, avait précisé Jenesek.

Personne, à ce moment, n'avait saisi ce que le grand alter voulait dire.

— Vous comprendrez plus tard, avait ajouté Jenesek devant leur air incertain.

Et c'était vrai: aujourd'hui, ils le comprennent bien. Privée de son corps, Elleira n'a eu d'autre choix que d'évoluer sous une forme psychique. Sans doute était-ce par l'esprit qu'elle communiquait alors ses ordres aux autres maquisards du Clair-obscur. Quoi qu'il en soit, ils avaient tous risqué leur vie pour les sortir des griffes de Hel et de Loki. Souhaitant aussi remercier Jenesek et ses hommes, Noah avait déclaré qu'il espérait un jour pouvoir leur rembourser cette dette, ce à quoi Jenesek avait répondu:

— La prophétie prédit votre retour. Nous nous reverrons.

Là encore, le grand alter avait raison: ils sont tous là, de nouveau réunis. Ne manque qu'Arielle.

— Mentionnons toutefois que pour les dieux, poursuit Elleira, mon ancien corps d'alter n'a toujours été qu'un simple prêt à Arielle Queen. Jusqu'à tout récemment, du moins. Depuis que Loki lui a fait officiellement cadeau de notre sublime enveloppe, tout a changé: j'ai été libérée de mon errance dans les limbes et j'ai pu enfin m'incarner dans un autre être matériel. Il y a eu échange, en d'autres termes: alors qu'Arielle héritait définitivement de mon corps, moi, j'héritais du sien. La petite boulotte à la chevelure rousse et crépue, eh bien, c'est moi qui vis en elle maintenant, et moi seule. Je n'en veux pas à Arielle, bien au contraire, ajoute-t-elle sur un ton qui laisse poindre l'ironie. Je préfère encore me trouver dans ce corps ingrat plutôt que d'errer comme un fantôme dans l'Helheim, car c'est bien ce dont il s'agit, mes amis : nous, les décédés, ne sommes que de vulgaires fantômes coincés dans l'Helheim. Nous attendons, certains depuis des siècles, d'être délivrés par les deux élus, afin que nos âmes puissent enfin s'envoler vers le Walhalla pour y profiter de la paix éternelle. Réjouissant, n'est-ce pas ? Et poétique aussi. Veuillez ne pas en vouloir à ceux d'entre nous qui avons, comment dire, perdu quelques-unes de nos illusions, et parfois même beaucoup plus. L'attente peut être longue et cruelle, et passablement aliénante lorsqu'on est enfermé pendant des siècles dans les cachots de glace du Galarif.

Après un long et lourd silence, Elleira demande à Noah :

— Tu es toujours l'un de ces deux élus ?

Noah laisse s'écouler quelques secondes avant de lui répondre :

— Non, je ne le suis plus. Je ne l'ai jamais été, en fait. Ou plutôt si, se corrige-t-il avec empressement : je suis bien l'élu, mais pas celui de la prophétie. Plutôt celui d'un peuple... celui d'un royaume.

Elleira hausse un sourcil, mais tous ceux qui sont présents dans la grotte se demandent si sa surprise est réelle ou feinte. Après avoir acquiescé discrètement, Jenesek intervient dans la discussion. Il parle pour la première fois, mais ses paroles sont lourdes de gravité :

— Tu fais référence à la lignée des grands Varègues de Novgorod ? demande le grand alter avec austérité. Et tu crois être l'un d'eux, Nazar, fils d'Ivan, descendant de David le Slave ?

Noah opine de la tête sans hésitation, tout en prenant un air fier et déterminé.

— Mon nom signifie « le couronné ». Je suis le futur roi de Midgard.

Brutal jette alors un coup d'œil en direction de Geri, avant de s'esclaffer :

— Hé ! le caniche ! Il ne se prend pas pour du caca de mouche, ton maître !

— Et que fais-tu de Kalev de Mannaheim ? poursuit Jenesek sans faire attention aux propos de l'animalter.

— La lignée des Mannaheim a déjà régné sur Midgard dans le passé, explique Noah, mais son temps est révolu à présent. Le futur de l'humanité est entre les mains de la lignée des Novgorod. L'avenir appartient aux dignes fils des Rùs !

— Donc, entre les tiennes ? en déduit le grand alter.

— Si Odin le veut, oui, réplique Noah.

— Qui t'a convaincu ? demande Jenesek.

Cette fois, Noah se montre hésitant. La question l'embarrasserait-elle ? C'est ce que se demandent tous les autres membres du groupe, comme Jason et Ael qui assistent à cette conversation pour le moins surréaliste sans trop savoir qu'en penser. Noah fait-il toujours partie de leurs alliés, ou bien est-il en train de passer lentement dans le camp adverse et de se transformer en ennemi ? Brutal n'accorde sa fidélité qu'à Arielle, sa maîtresse, tandis que Jason a juré de protéger les deux élus, et seulement eux ; quant à Ael, son allégeance va uniquement à Kalev de Mannaheim. Donc, à part peut-être Geri — ce qui est loin d'être certain —, personne ne soutiendra Noah s'il lui prend l'idée saugrenue de se proclamer souverain de Midgard. Mais peut-il réellement être assez fou pour faire une telle chose ? Cette éventualité semble tellement ridicule aux yeux des autres.

Jenesek n'attend pas la réponse de Noah. Il continue :

— Je suppose que ce sont les Quatre qui t'ont parlé de ton fabuleux destin, n'est-ce pas ? Après t'avoir bourré le crâne avec leurs mensonges, ils t'ont proposé de régner à la place de Kalev, t'assurant qu'ils ne laisseraient jamais cet imbécile gouverner de toute façon. Ils t'ont proposé sa place sur le trône et tu as accepté, c'est ça ?

— Je…

— Ce qui m'étonne, c'est que tu les aies crus, poursuit Jenesek. Ce sont des démons, Noah.

— Je suis Nazar ! proteste le jeune homme.

— Je sais ce que tu penses, enchaîne immédiatement Jenesek sans laisser le moindre répit au garçon. En agissant ainsi, tu imagines faire le bien et protéger l'humanité. Tu te dis qu'il vaut mieux que les hommes aient un roi qui collabore avec les forces du mal que pas de roi du tout, mais tu te trompes : ce sont des monstres, mon garçon. S'ils ne te tuent pas, ils feront en sorte que tu deviennes comme eux. L'usurpateur de la prophétie, c'est peut-être toi, Noah Davidoff, tu t'en rends compte ? C'est vraiment ce que tu veux ? les aider à détruire le royaume des hommes ?

— Hmm, c'est du sérieux, observe Brutal sur un ton plus détaché.

— Je suis Nazar et… et mon peuple est celui des hommes.

Est-ce réellement pour l'humanité que Noah a accepté de jouer le jeu, ou est-ce tout simplement pour gagner l'amour d'une jeune fille ? En agissant ainsi, ne souhaite-t-il pas attirer l'attention d'Arielle ? N'espère-t-il pas obtenir son respect et peut-être même son admiration ? N'est-ce pas là la seule façon de la reconquérir ? Elle n'est plus amoureuse de lui, Noah s'en doute, mais l'a-t-elle déjà été ? Oui, à leur retour de l'Helheim, lorsqu'ils se sont embrassés chez l'oncle Sim. Là, Noah a su : il a su qu'Arielle était amoureuse de lui. « *De toi ou de Razan ?* » s'enquiert une petite voix mesquine dans son esprit. *De moi,* se répète Noah. *Oui, c'était bien de moi.* « Un jour ou l'autre, j'aurais fini par tomber amoureuse de toi, Noah Davidoff, est-ce que tu le sais ? » C'est ce que lui a dit Arielle chez Saddington, avant qu'il n'entreprenne son premier voyage vers l'Helheim. Pourquoi cela a-t-il changé ? Pourquoi pouvait-elle envisager de tomber amoureuse de lui à ce moment-là et plus maintenant ? *Et qui te dit qu'elle ne l'envisage plus ?*

La réponse est simple : parce que maintenant, il y a Razan. Noah voit bien comment Arielle le regarde. Il avait deviné ses sentiments pour Razan bien avant qu'elle lui avoue son amour, au moment de partir pour l'Helheim.

Cet aveu a fait mal à Noah. Pourquoi Arielle a-t-elle prononcé ces paroles alors que lui-même se trouvait là, en leur compagnie ? *N'a-t-elle pas songé un instant que cela pouvait me blesser ?* se demande Noah. Il arrive parfois à la jeune fille de s'emporter contre Razan, de l'affronter et même de le trouver idiot, mais c'est seulement une façon de se convaincre elle-même qu'elle n'est pas amoureuse de lui. Elle combat les sentiments qu'elle éprouve pour Razan et se met en colère en réalisant qu'elle ne peut rien y faire, qu'elle est impuissante devant cet amour. Elle n'a aucune idée des raisons qui la poussent à aimer Razan, pourtant le véritable amour est bel et bien installé dans son cœur. Mais n'est-ce pas ainsi que ça fonctionne ? *Un jour, Arielle m'aurait sans doute aimé*, se dit Noah, *mais avec sa tête et non avec son cœur, comme c'est le cas pour Razan.* Arielle ne ménage jamais Razan : elle le traite de vaurien et l'accuse de tous les torts, mais chaque fois qu'elle le fait, Noah remarque (non sans douleur) que les joues de la jeune fille s'empourprent, signe qu'il n'y a rien de désintéressé dans sa façon d'agir avec Razan. Peut-être même cherche-t-elle à le provoquer pour attirer son attention. C'est encore plus évident lorsque Razan s'approche d'elle ou qu'il lui adresse des paroles mielleuses. *Mais qu'est-ce que ce salaud a bien pu lui faire ou lui dire pour qu'elle craque aussi facilement?* se demande Noah. Le garçon se souvient d'avoir subi de nombreuses pertes de mémoire lorsqu'il a commencé à fréquenter Arielle, au tout début de leur aventure. Noah avait alors mis ces absences sur le compte de l'excitation et de la nervosité, mais se rend compte maintenant que c'était Razan qui prenait sa place, comme il lui arrivait souvent de le faire par le passé. Lorsqu'il a connu Arielle, Noah savait que Razan exerçait parfois la possession intégrale sur lui, mais il a omis de le mentionner à la jeune fille, pour lui éviter des soucis supplémentaires. *Razan a pris ma place et a enjôlé Arielle pour la séduire,* en déduit Noah. *Arielle ne connaît peut-être pas la vérité. Je dois la lui révéler. Et si elle ne change pas d'idée? Si elle continue d'aimer Razan malgré cela? Ou pire encore: si elle l'aime pour cela? Peut-être qu'elle sait tout, et qu'elle est reconnaissante à Razan d'avoir pris ma place dans ces instants. Oh, non! Ce serait trop horrible. Je ne pourrais pas le supporter!* Il entend Arielle qui s'adresse de nouveau à lui, mais sur un ton rempli de dédain et de mépris cette fois: «Un jour ou l'autre, j'aurais fini par tomber amoureuse de toi, Noah Davidoff. Non parce que tu es toi, pauvre idiot, mais parce que Razan vit à l'intérieur de toi! C'est lui que j'aime, et c'est lui que j'ai embrassé!»

— Mon nom est Nazar! répète tout haut Noah. C'est celui que m'a donné mon père et je le prends aujourd'hui. Nazar de la famille Davidoff et du clan des Varègues de Novgorod, souverain légitime de Mannaheim et de Midgard.

Jenesek secoue vigoureusement la tête, sans quitter Noah des yeux.

— Tu n'as rien d'un souverain, jeune écervelé ! déclare le grand alter en pointant un index autoritaire en direction du garçon. Et si tu continues à croire le contraire, si tu accordes la moindre importance à ce que les Quatre t'ont raconté, tu deviendras bientôt le complice des peuples de l'ombre et ton âme sera perdue à jamais !

Brutal intervient de nouveau :

— Question quiz : Qui sont les « Quatre » ?

— Vous essayez de me détourner de mon chemin ! rétorque Noah sans se préoccuper de lui. De m'empêcher d'accomplir ma destinée ! Ils m'ont prévenu ! Ils m'ont prévenu que vous iriez jusqu'à m'accuser d'être un usurpateur !

— Qui t'a prévenu ? tonne Jenesek. Fenrir ? Shokk ? Angerboda ?

— Je ne sais pas à qui j'ai parlé, répond Noah, mais je sais qu'ils ont foi en moi !

— Ils ont foi en ta stupidité, conclut Jenesek.

— Ça suffit maintenant ! ordonne Elleira pour les faire taire tous les deux.

Décidemment, le Noah qu'elle a devant elle aujourd'hui est très différent de celui qu'elle a connu à Midgard.

— La priorité, pour l'instant, poursuit-elle, est de retrouver Arielle. Il est possible en effet que Razan et elle se soient matérialisés dans une autre grotte. Si c'est le cas, alors ils n'y demeureront pas longtemps, croyez-moi. S'ils souhaitent vivre, il leur faudra trouver un endroit chaud où se réfugier. Et il en va de même pour nous tous. Je vous conduirais bien au campement du Clair-obscur, mais Arielle ne sait pas où il se trouve. Il n'y a qu'un seul endroit où nous avons une chance de la retrouver. À l'heure qu'il est, Arielle et Razan doivent déjà tenter de s'y rendre.

— Tu parles du palais de l'Elvidnir? demande Ael.

Elleira approuve d'un signe de tête.

— Mais avant d'atteindre l'Elvidnir, il leur faudra survivre à leur rencontre avec la fée Modgud et avec Garm, le chien vorace, puis ils devront traverser le pont de la rivière Gjol et ensuite franchir Gnipahellir, le portail de la citadelle.

— Ils pourront survivre jusque-là? s'inquiète Brutal. Je veux dire, il fait très froid là, dehors, et ils ne possèdent plus leurs pouvoirs d'alters...

— Il fait froid, c'est vrai, mais le vent tombera bientôt, assure Elleira. Cela devrait leur permettre de progresser plus aisément. Espérons tout de même que leur grotte n'est pas trop éloignée de la citadelle.

— Et comment irons-nous là-bas? demande Ael.

Elleira se tourne vers son bras droit, Jenesek.

— Nous avons des chevaux, répond le grand alter.

— Ne perdons plus de temps, alors! lance Brutal. Euh, dites donc, ajoute-t-il en observant brièvement Noah, vous êtes certains qu'il est prudent d'emmener Lazare avec nous?

— Nazar, le corrige aussitôt Noah.

— Je vais l'avoir à l'œil, répond soudain Geri sur un ton ferme, ce qui ne manque pas de surprendre tout le monde.

Après un court silence, Ael renchérit :

— Nous l'aurons tous à l'œil.

Noah se tourne alors vers son animalter et l'observe en silence, un mélange de déception et d'interrogation dans le regard. Il ne peut pas croire que le doberman se soit rangé du côté des autres.

— Je suis désolé, laisse tomber Geri avec froideur.

L'animalter relève la tête. Il est incapable de soutenir le regard de son maître.

— Tu ne me fais plus confiance ? Je… je ne comprends pas, Geri…

— Je ne te reconnais plus, Noah, déclare Geri sans baisser les yeux. Ton corps a changé, et ton esprit aussi.

L'animalter éprouve un malaise, certes, mais il ne flanchera pas : à partir de maintenant, il n'a plus l'intention d'obéir aveuglément à son maître.

— Je suis la même personne, pourtant, soutient Noah. J'ai beau m'être incarné dans le corps de Thornando, c'est toujours moi qui suis là, Geri.

— Ce truc des Varègues de Novgorod et des Rùs, ça me fout la migraine, mon vieux. Tu n'arrêtes pas de dire des choses bizarres. Tu n'es plus toi. Je crois que les autres ont raison : il t'est arrivé quelque chose dans ce foutu caisson et ça t'a transformé.

— Et si c'était moi qui avais raison et eux qui se trompaient ? Tu y as pensé ? J'étais prêt à laisser ma place à Razan et à Kalev. J'étais prêt à mourir et à leur laisser mon corps et mon esprit, mais une voix m'a parlé et m'a convaincu que je devais revenir. Pour régner, tu comprends ? Pour régner sur mon peuple et sur mon royaume. Oui, Razan est bien l'élu de la prophétie, mais c'est pour préparer mon couronnement qu'Arielle et lui l'ont accomplie !

— Tu délires…, affirme Geri en s'éloignant brusquement.

L'amertume se lit sur les traits canins de l'animalter, ce qui n'empêche pas son maître de courir derrière lui pour le rattraper.

— Geri, mon frère, mon ami…

— Ne te laisse pas attendrir, Geri, intervient hâtivement Brutal. Ton maître a perdu la boule, tu en as la preuve. Peut-être qu'il la retrouvera un jour, sait-on jamais, mais d'ici là, pas question de le laisser gambader seul dans la nature.

Jason Thorn, qui se tient aux côtés d'Ael, s'empresse de faire signe à Leandrel et Idalvo, les deux elfes de lumière.

— Noah Davidoff n'est ni un élu ni un protecteur de la prophétie, leur dit-il. S'il se trouve ici, on doit en conclure que c'est uniquement par accident. Il faut le surveiller en permanence.

— Non, attendez…, proteste aussitôt Noah.

Leandrel et Idalvo ont compris ce que le jeune fulgur attend d'eux. Ils s'avancent vers Noah et se postent de chaque côté de lui. À partir de maintenant, le jeune homme sera placé sous bonne garde.

— Il ne représente aucun danger pour vous dans le royaume des morts, les rassure Elleira, consciente de se porter ainsi à la défense de Noah. C'est lorsque vous retournerez dans celui des vivants qu'il faudra lui fournir une escorte, ajoute-t-elle.

— Peut-être, mais on n'est jamais trop prudent, rétorque Jason.

— Je suis d'accord, ajoute Brutal en gratifiant Noah d'un regard ombrageux.

De toute évidence, l'animalter ne fait pas confiance à Noah. Il demeure méfiant à son endroit et manifeste ses soupçons sans la moindre gêne ; la signification du regard de prédateur que le félin adresse au jeune homme est claire : *Un seul faux mouvement, mon gars, et tu es à moi. Je te fais ta fête, compris ?*

— Allons-y, il est temps de partir ! lance Jenesek depuis l'entrée de la grotte. Les chevaux nous attendent à l'extérieur. Arielle et Razan auront besoin de nous pour affronter Modgud et Garm. Si nous nous dépêchons, nous pourrons peut-être les rejoindre avant qu'ils n'atteignent la rivière Gjol.

6

*Très haut dans le ciel,
entre les nuages gris, brillent côte à
côte le soleil et la lune.*

Le jour ne succède jamais à la nuit dans le royaume des morts ; ils coexistent de façon permanente, obligeant ainsi la lumière et les ténèbres à se côtoyer constamment.

Malgré le vent et la neige, Arielle et Razan avancent d'un bon pas. Pour conserver leur chaleur, ils doivent marcher vite et à un rythme régulier. Manteau boutonné jusqu'au cou, collet relevé, bras croisés sur la poitrine et tête baissée contre le vent, ils s'ouvrent un chemin dans la plaine enneigée de l'Helheim. Razan connaît bien le terrain, c'est donc lui qui dirige leur progression. Il oblige Arielle à marcher devant lui afin de ne pas perdre la jeune fille dans la tempête. Il parvient à la guider en lui lançant des indications :

— Un peu plus à l'ouest, princesse !

— Ça va, j'avais compris la première fois !

— Je déteste l'hiver ! grogne Razan entre deux claquements de dents.

— Ça aussi, je l'ai compris la première fois ! rétorque Arielle, exaspérée.

— Saleté de blizzard ! On n'y voit rien !

— Comment peux-tu être certain que nous nous dirigeons vers le bon endroit, alors ?

— Il suffit de suivre la dénivellation du terrain, explique Razan. L'angle ascendant de la plaine prouve que nous marchons dans la bonne direction. L'Helheim est un petit royaume, et chacune de ses basses terres est inclinée par rapport à la région des hauts plateaux où est située la citadelle. Souviens-toi que le palais de l'Elvidnir est érigé sur un pic rocheux, la montagne la plus haute de l'Helheim. Elle domine tout le reste du royaume.

— C'est ce qui explique pourquoi nous avançons avec de plus en plus de difficulté, dit Arielle, et qu'il faut davantage d'efforts pour parcourir les mêmes distances.

— Depuis le dernier kilomètre, nous ne marchons plus, nous grimpons ! En ce moment, je donnerais n'importe quoi pour récupérer mes jambes d'alter !

— Arrête de te plaindre !

— Comment vont tes jambes, princesse ?

— Elles vont très bien, merci !

— Tu mens très mal, chérie ! rétorque Razan.

Le jeune homme augmente brusquement la cadence pour se rapprocher d'Arielle. Une fois parvenu derrière la jeune fille, il la prend dans ses bras et la soulève de terre sans qu'elle puisse y faire quoi que ce soit.

— Mais… mais qu'est-ce que tu fais ? s'écrie Arielle, aussi surprise qu'offusquée.

— Tu es fatiguée. Je vais te porter dans mes bras.

— Je peux marcher, Razan ! proteste Arielle.

— Je sais. Mais je préfère quand même t'avoir auprès de moi.

Arielle se débat, espérant qu'il renoncera à la porter et la reposera sur le sol, mais Razan raffermit sa prise et, sans prévenir, lui colle un baiser sur la bouche. Au début, Arielle reste figée par la surprise, mais elle reprend vite ses moyens et tente de le repousser, avec moins de vigueur que d'ordinaire cependant, peut-être plus pour la forme que par réelle envie de mettre un terme à ce baiser. Après les protestations d'usage, elle finit par céder et répond finalement au baiser de Razan. Jamais personne ne l'a embrassée comme ça auparavant, avec autant de… perfection. Ce baiser est magique. Il est tendre, doux et passionné, sans être agressif. Décidément, elle craque pour ce garçon ; elle craque à en avoir mal au ventre, à sentir ses genoux défaillir et ses jambes se ramollir, à en perdre la parole, et peut-être la raison, et à ne plus pouvoir émettre que des balbutiements. Mais elle doit se reprendre, et rapidement. Surtout, elle doit se montrer prudente et ne pas laisser paraître son malaise. Du moins, pas autant qu'elle l'a déjà fait. Elle ne peut plus s'ouvrir aussi facilement, cela risquerait de tout gâcher entre eux – s'il reste quelque chose à gâcher. Les garçons n'aiment pas les filles qui s'accrochent, c'est connu. Mais s'accroche-t-elle vraiment? «*À celui-là, tu peux faire confiance, soutient une petite voix intérieure, peut-être celle de sa conscience. Chaque fibre de ton corps le ressent, et souhaite ce rapprochement. Razan est différent des autres garçons. Il ne jouera pas avec tes sentiments. Malgré ses grands airs, malgré ce ton prétentieux qu'il prend parfois, c'est un jeune homme bon et sensible. C'est lui, tu comprends? Il est l'homme de ta vie. Il n'y en aura jamais d'autre, Arielle. Même s'il disparaît, même si on te l'enlève, tu ne l'oublieras jamais. Il restera dans ton cœur pour toujours. Voilà pourquoi tu lui as tout dit. Voilà pourquoi tu t'es ouverte à lui. Si tu lui as dévoilé ton amour, c'est parce que tu savais qu'il accueillerait cette confidence dans son cœur, sans la craindre ni la rejeter. Il n'a peut-être pas encore répondu à ton invitation, mais il le fera. Ce garçon t'aime plus que n'importe qui dans cet univers. Il n'a personne d'autre que toi. Il n'a aucun parent, aucun ami. Tu es son univers, et ce n'est qu'une question de temps avant qu'il ne le réalise. Tom Razan cédera lui aussi à ses sentiments, ceux qu'il éprouve pour toi depuis toujours, et qui l'ont poussé à te protéger depuis ton enfance et même à forcer les autres, comme Noah, à le faire. Rappelle-toi: Razan, Noah et Kalev sont trois princes, mais l'un d'entre eux éprouve tellement d'amour pour toi qu'il a réussi à le transmettre aux deux autres. Et celui-là, c'est Razan.*»

Au bout d'un moment, instinctivement, Arielle et Razan rompent leur étreinte.

— Pourquoi… pourquoi tu as fait ça ? demande Arielle qui ne trouve rien d'autre à dire.

— Tes lèvres avaient pris une teinte bleutée, à cause du froid. J'ai voulu les réchauffer.

— M… merci… euh… c'est gentil, bredouille Arielle. Vraiment gentil de ta part. Tu peux… tu peux me reposer par terre, maintenant.

— Pas question, répond Razan. Je te porte jusqu'à l'Elvidnir.

— Ne sois pas idiot, tu vas t'épuiser…

Razan s'esclaffe tout en recommençant à marcher.

— M'épuiser ? répète-t-il, à la fois surpris et amusé. Ha ! ha ! Mais c'est de Tom Razan que tu parles, ma chérie. Ce sale vaurien de Razan qui est toujours là pour te sauver les fesses. Tu devrais pourtant savoir que je me sors toujours des pires situations. Il n'y a rien à mon épreuve, surtout pas les gamines capricieuses qui trouvent toujours un moyen de rouspéter sur tout.

— Moi, capricieuse !? S'il y a quelqu'un qui rechigne constamment ici, c'est bien toi !

— Tu sauras que je ne me plains jamais pour rien, contrairement à certaines personnes, complète Razan avec bonne humeur. Allez, enfouis ton visage au creux de mon épaule, princesse, ça t'évitera de bleuir de nouveau, et cette proximité nous gardera au chaud tous les deux.

— Je ne suis pas certaine que…

— Ne joue pas les farouches, l'interrompt Razan, je sais que tu apprécies tout ce que je fais pour toi.

— Apprécier?... Qu'est-ce que tu insinues?

— Tu m'aimes, non?

Arielle se sent rougir de la tête aux pieds, et ce, malgré la température glaciale.

— Attends, mais...

— Tu m'aimes, oui ou non?

Il a besoin d'une confirmation ou quoi? se demande Arielle. *Il n'a pas compris la première fois? Pas question de le répéter! Ah, les hommes! Ce qu'ils peuvent être bouchés parfois! Grrr!*

— C'est vraiment le moment d'en discuter?

— Hé! c'est toi, la championne des déclarations enflammées, pas moi!

Enflammées?... Le salaud! Après un bref silence, Arielle répond:

— L'amour est souvent proche de la haine, Tom Razan.

— Alors, c'est parfait! L'amour et la haine, c'est tout ce qu'il nous faut pour survivre ici!

— Razan, je veux marcher...

Mais le garçon n'a pas l'intention d'en rester là.

— Ta déclaration, tu me l'as faite tout juste avant de disparaître pour l'Helheim. C'est par manque de courage?

— Razan...

— Pourquoi tu as fait ça, hein, sachant que tu étais sur le point de foutre le camp et que je resterais seul derrière? Tu ne peux pas me lancer des trucs comme ça à la figure et te volatiliser ensuite. Les alters fuient l'amour toute leur vie, ils le craignent, tu comprends?

— Tu n'es plus un alter...

— Mais j'en ai conservé les réflexes.

— Pose-moi par terre, je n'ai pas envie que tu me portes.

Razan fait la sourde oreille et s'apprête à faire un pas de plus vers l'avant lorsqu'un cri perçant déchire le ciel. Il se fige sur place.

— Mais qu'est-ce que c'est que ça ? murmure-t-il en levant les yeux au ciel.

Arielle, toujours dans les bras de Razan, ne tarde pas à imiter son compagnon, mais réalise bien vite qu'il est impossible de discerner quoi que ce soit là-haut ; la neige mêlée au vent forme une sorte d'écran opaque qui les empêche de voir le ciel. Un autre cri leur parvient. Un cri éperdu, à vous glacer le sang. Peut-être celui d'un oiseau blessé ou paniqué. *Quoique, dans l'Helheim*, songe Arielle, *il pourrait tout aussi bien s'agir d'un dragon ou d'une gargouille géante.*

— Probablement un rapace des montagnes, déclare Razan. C'est la seule espèce assez robuste pour survivre dans les zones montagneuses de l'Helheim.

Une soudaine accalmie de la tempête permet enfin à Arielle et Razan de distinguer une partie du ciel au-dessus d'eux. À travers les nuages, ils voient se profiler la silhouette d'un grand aigle. Un aigle gigantesque, en vérité. Après avoir surgi d'un nuage et décrit un cercle, l'oiseau effectue un piqué et s'abat droit sur Arielle et Razan.

— Hraesvelg, le Mangeur de cadavres ! s'écrie Razan. Il fonce sur nous et n'a pas l'air très content !

La dernière fois qu'Arielle a vu l'aigle géant, c'était au palais de l'Elvidnir. Allié inattendu de

Jenesek et des maquisards du Clair-obscur, Hraesvelg a alors permis à Arielle et à ses amis de fuir le palais de glace. Après les avoir transportés loin des murailles de la citadelle, l'oiseau s'est empressé de les raccompagner au passage unissant l'Helheim à Midgard. Mais à la façon hostile dont l'oiseau fond sur eux en ce moment – exactement comme s'il fondait sur une proie –, il y a matière à s'inquiéter. Est-il toujours amical ? Un rapace de cette taille a de quoi faire peur, mais Arielle refuse de se laisser intimider. Après tout, il existe encore une chance pour que Hraesvelg soit de leur côté.

— Saleté de plumeau ! grogne Razan en reculant.

— Attends, il est peut-être ici pour nous aider, observe Arielle.

— C'est ça, ouais, répond Razan qui n'en semble pas du tout convaincu. Ou peut-être que son petit a faim et qu'il espère nous servir pour la becquée. Tu m'excuseras, mais je n'ai pas envie de rester ici pour le découvrir.

Arielle jette un coup d'œil au bracelet argent passé à son poignet, celui que son frère Emmanuel, ou Mastermyr, lui a donné dans la fosse d'Orfraie, tout juste après lui avoir pris le *vade-mecum* des Queen.

— En lui se cache une arme puissante, lui avait révélé Emmanuel, alors protégé par une étrange armure de fer qui recouvrait tout son corps. Son nom est Modi. Il te suffit de l'invoquer de la même façon que les Walkyries.

— Pourquoi m'offres-tu ce cadeau ? lui avait demandé Arielle, curieuse de savoir pourquoi son frère se montrait si charitable soudainement.

— Telle est la volonté du nouveau maître, avait simplement répondu Mastermyr.

Qui est ce nouveau maître dont il parlait ? Peut-il s'agir de Loki ? *S'il est mon père, probable qu'il soit aussi celui d'Emmanuel, songe Arielle, ce qui n'annonce rien de bon.* Emmanuel n'était pas le seul à avoir mentionné ce « nouveau maître ». Elizabeth y avait fait allusion, elle aussi, alors que les deux jeunes filles se mesuraient à l'épée dans la grotte de l'Evathfell. « Le nouveau maître n'est pas encore parmi nous, avait dit Elizabeth. Mais bientôt, il le sera. Et ce sera grâce à un autre de tes proches. » Un proche, vraiment ? Arielle s'était alors rappelé ce que disait la prophétie à propos du traître : « L'identité du Traître sera connue le jour où Uris l'Occulteur sera éliminé. » Rapidement, la jeune élue avait résolu l'énigme et découvert le nom du traître. C'était Rose. En retirant les lettres U, R, I et S de son nom de famille, on obtenait Angerboda. *Dois-je en parler à Razan ?* se demande Arielle. *Dois-je lui dévoiler le nom du traître ?* Bonne question, mais elle devra y réfléchir plus tard. Pour l'instant, la jeune fille doit décider si elle se servira de Modi, son épée de glace, contre Hraesvelg. Elle finit par conclure que ce serait inutile ; l'aigle est beaucoup trop puissant. Ce serait comme frapper un train en marche avec une stalactite de glace. De plus, ce geste de provocation le mettrait certainement en colère – s'il ne l'est pas déjà.

— C'est peine perdue, rétorque Arielle. On ne pourra pas lui échapper.

Hraesvelg se redresse brusquement à l'approche du sol enneigé. Il déploie rapidement ses grandes ailes et vole en rase-mottes jusqu'à ce qu'il passe au-dessus d'Arielle et de Razan. De ses puissantes serres, l'aigle agrippe les deux jeunes gens au passage et les entraîne avec lui vers le ciel gris de l'Helheim. Arielle et Razan se retrouvent plaqués l'un contre l'autre, emprisonnés dans l'une des pattes écailleuses du grand aigle. Leurs poumons étant comprimés dans leur cage thoracique, ils éprouvent de la difficulté à respirer. Le vent souffle fort et la montée se fait à une vitesse ahurissante, laissant Arielle et Razan sans voix, et presque sans air.

— Je… vais… vomir…, réussit à articuler Razan alors que Hraesvelg poursuit son ascension rapide.

Lorsque le grand aigle atteint enfin son altitude de croisière, il se stabilise en position horizontale et réduit sa vitesse, ce qui à la fois soulage Arielle et Razan et leur permet de mieux respirer.

— Il aurait pu nous broyer s'il l'avait voulu ! lance Arielle après avoir repris son souffle.

— Génial ! répond Razan, ironique. Alors nous sommes sauvés : Big Bird est notre ami !

Razan, débarrassé de ses étourdissements et de sa nausée, essaie par tous les moyens de se dégager des serres noires et brillantes du rapace.

— Ne fais pas ça, idiot ! le prévient immédiatement Arielle. Si tu échappes à sa prise, tu fileras droit vers le sol. Le choc te sera mortel !

— À bien y penser, il n'y a que des avantages à devenir humain, pas vrai ? Dis-moi, Juliette, l'amour compense-t-il vraiment pour tout le reste ?

— Tout dépend de la manière d'aimer, Roméo.

Razan secoue la tête. Ce n'est pas la réponse à laquelle il s'attendait.

— Tout ça m'a l'air fort compliqué…

Tu ne te doutes pas à quel point ça l'est, mon chéri, se dit Arielle.

Hraesvelg lance un dernier cri strident avant de battre puissamment des ailes et de virer plein nord. Il n'y a aucun doute dans l'esprit d'Arielle et de Razan : le grand aigle prend la direction de l'Elvidnir.

— La tempête est derrière nous, constate Arielle qui voit le ciel se dégager à mesure qu'ils se rapprochent de la citadelle. Hé ! J'aperçois la rivière Gjol, là-bas ! annonce-t-elle en désignant une ligne courbe à l'horizon.

— Sacrée bonne nouvelle…, fait Razan sans exprimer le moindre enthousiasme. Selon toi, qui a demandé à notre nouveau copain de nous conduire là-bas ?

— Peut-être les maquisards du Clair-obscur, répond Arielle. C'est possible, non ?

— Je ne fais pas plus confiance à ces bouffons de maquisards qu'à Hel et Loki, affirme Razan sur le même ton las.

Réflexion faite, il ajoute :

— Tu sais, plus j'y pense, plus je me dis que c'est une erreur de retourner là-bas. D'accord, on

121

profite de la voie express et tout, mais la seule chose que ça nous évitera, c'est d'attraper une saloperie de rhume, et encore ; je ne sens déjà plus mes membres.

Razan a raison : à cette altitude, les effets du vent et du froid sont décuplés. Si leur petit voyage ne se termine pas bientôt, ils risquent de se transformer tous les deux en blocs de glace.

— Pour le reste, je crois que le jeu n'en vaut pas la chandelle, poursuit le jeune homme. Seule, tu ne réussiras jamais à vaincre Hel et Loki, princesse, pas plus que tu ne parviendras à libérer les âmes qui sont prisonnières du Galarif. Il te faudrait une armée pour cela !

— Nous ! le corrige aussitôt Arielle. Il nous faudrait une armée. Tu oublies de t'inclure, second élu.

Hraesvelg pousse au autre cri, comme pour approuver les dires d'Arielle. Razan s'en offusque aussitôt :

— Toi, tu fermes ta gueule, la mouette géante !

— Un bec.

— Quoi ?

— C'est un oiseau, précise Arielle. Il a un bec, et non une gueule.

— Non mais, tu le fais exprès ou quoi ? fait Razan, vexé. C'est vraiment pas le moment de te payer ma tête ! Plus un mot jusqu'à l'atterrissage, vu ?

Arielle acquiesce en silence. Malgré la gravité de la situation et la morsure du vent glacial sur la peau de son visage, la jeune fille ne peut s'empêcher de sourire. *Il est encore plus mignon lorsqu'il est en colère.*

7

Alors que tout le monde
se dirige vers l'entrée de la grotte,
où sont attachés les chevaux,
Ael pose un baiser furtif
sur la joue de Jason.

— Ce sera notre toute première chevauchée ensemble, murmure la jeune Walkyrie à l'oreille du chevalier. Ça t'emballe autant que moi, cow-boy?

La réaction de Jason n'est pas celle à laquelle s'attendait Ael :

— Tu ne retournes pas à Midgard? répond froidement le jeune homme. Si j'ai bien compris, tu dois veiller sur ce Kalev de Mannaheim. C'est ton nouveau maître, non? Et, visiblement, ton maître est resté de l'autre côté. Alors, que fais-tu ici?

Ael se souvient alors de ce que lui a dit Kalev avant qu'elle ne quitte Midgard: «Allez, ouvre le chemin, ma chérie. Et si tu tombes sur un comité d'accueil de l'autre côté, tâche de t'en débarrasser avant mon arrivée, d'accord ? » Jason n'a pas aimé la manière dont Kalev s'est adressé à Ael, et ne s'est pas gêné pour le dire. Mais cette fois, c'est Ael qui n'apprécie pas le ton sur lequel Jason lui parle, et encore moins la façon narquoise dont il prononce le mot « maître ». Elle y décèle de l'aigreur et un mépris qu'elle ne croit pas mériter. Malgré son irritation, elle choisit de ne pas riposter, ce qu'elle aurait fait avec véhémence en temps normal. Selon elle, il est possible que Jason agisse ainsi par jalousie, ce qui — et elle en est la première surprise — réjouirait fortement la jeune Walkyrie. *Est-ce cela que l'on appelle l'« amour » ?* se demande-t-elle.

— Je ne suis pas du genre à déserter, beau blond. Je vais y retourner, ne t'inquiète pas, mais avant je dois m'acquitter d'une autre tâche ; une tâche qui m'a été confiée récemment, en même temps qu'à cinq autres personnes. Je ne croyais pas être aussi importante, mais apparemment, on me compte parmi les six protecteurs de la prophétie. Je ne peux pas me défiler, les dieux ne me le pardonneraient pas. Mais lorsque notre travail ici sera terminé, je retournerai sur la Terre, auprès de Kalev. Si tout fonctionne bien, je reviendrai peu après le moment où je suis partie. Kalev ne verra pas la différence. Pour lui, à peine quelques secondes se seront écoulées entre le moment de mon départ et celui de mon retour. Mes pouvoirs de Walkyrie me permettent de manipuler à mon gré les distorsions temporelles qui existent entre les royaumes.

— Brillant, fait Jason.

— Alors, John Wayne, tu m'emmènes sur ta monture ?

Un sourire finit par se dessiner sur le visage jusque-là crispé du jeune fulgur.

— Pourquoi pas, Calamity Jane.

La mauvaise humeur semble avoir abandonné Jason, au grand soulagement d'Ael. Le garçon penche la tête pour embrasser la jeune Walkyrie à son tour, mais cette dernière l'en empêche en posant un doigt sur ses lèvres.

— Hé ! pas si vite, Don Juan ! lui dit-elle en riant. La modération a bien meilleur goût ! Et qui te dit que j'ai envie de me faire embrasser par toi, monsieur le râleur ?

— En t'offrant cet edelweiss, je t'ai sauvé la vie, ne l'oublie pas, répond Jason, sûr de lui. Quoi de plus romantique qu'un jeune et beau chevalier qui sauve la vie d'une valeureuse guerrière walkyrie en lui offrant une fleur ? Et pas n'importe quelle fleur : une fleur magique, qui permettra enfin à la belle Walkyrie d'aimer ! C'est digne des plus beaux contes de fées, non ?

— Tu fais vraiment vieux jeu, mon petit Jasounet d'amour. On n'est plus en 1944, mais en 2008, tu t'en souviens ?

— Peu importe en quelle année nous sommes. Je te parie que d'ici la fin de notre escapade, tu seras tombée follement amoureuse de moi !

Ael rit de plus belle.

— Qui te dit que je ne le suis pas déjà, cow-boy ? répond la jeune fille en prenant un air espiègle. Maintenant que je peux aimer en toute sécurité, comme tu dis, pourquoi est-ce que je ne tenterais pas le coup avec toi, hein? Tu m'as l'air d'un gars honnête et responsable, je me trompe?

Jason reste sans voix.

— Quoi?

— Le premier arrivé au cheval prend les rênes! lance Ael avec l'excitation d'une enfant.

Sans attendre, elle file vers l'extérieur de la grotte pour rejoindre les autres.

— Hé! Ael! Attends une minute! fait Jason qui apprécierait que la jeune fille précise ses propos.

Il interpelle de nouveau la Walkyrie, mais sans bouger:

— Ael! Que veux-tu dire au juste par «tenter le coup avec moi»? Pardonne-moi, mais je ne suis pas habitué… euh… à toutes ces techniques de séduction modernes. Tenter le coup avec moi, ça veut dire… euh… ça veut dire «former un couple», c'est bien ça?…

Aucune réponse.

— Ael?…

La jeune fille a déjà quitté la grotte. Jason perçoit des hennissements de chevaux. Les autres ne doivent attendre que lui à présent.

— Allez! Amène-toi, cow-boy! Sinon je pars sans toi! lui crie Ael de l'extérieur.

J'arrive, j'arrive, répond intérieurement le fulgur en se dépêchant de rejoindre le reste du groupe.

Jason fait face aux chevaux dès qu'il quitte la grotte. Les autres se sont déjà installés, deux par deux, sur leur monture: Noah avec Elleira, Brutal avec Geri, Leandrel avec son frère Idalvo. Il n'y a que Jenesek et Ael qui attendent seuls sur leur cheval respectif.

— Alors, tu fais le trajet avec Jenesek ou avec moi ? demande Ael du haut de son pur-sang.

— Je vais avec toi, bien sûr, répond Jason. Mais c'est moi qui prends les rênes.

— Pas question. Les rênes, je les ai et je les garde. Je te le répète, on n'est plus en 1944, cow-boy. Les femmes ont pris leur place depuis soixante ans. Le guide de la parfaite petite ménagère, il y a longtemps qu'il n'est plus réédité !

— Ael, ces chevaux sont très rapides et…

— Non mais, tu me prends pour qui ? l'interrompt immédiatement Ael. Je suis une guerrière walkyrie, doublée d'une puissante alter. Des petits chevaliers fulgurs dans ton genre, j'en bouffe trois pour le petit-déjeuner ! Et je m'en garde un quatrième pour la collation du matin !

Jason acquiesce en riant.

— D'accord, la terreur de l'Ouest, j'ai compris et je m'incline.

Le chevalier se hisse habilement sur le cheval et prend place derrière la jeune fille. Après avoir passé ses bras autour de la taille d'Ael, il incline la tête et réussit à poser un baiser sur la joue de cette dernière.

— Alors, on tente le coup ? lui chuchote-t-il à l'oreille.

Jason ne voit pas le visage de sa compagne, mais il est certain qu'elle sourit.

— Pourquoi pas, cow-boy ? répond-elle avant d'ordonner au cheval de partir au galop. Allez ! hue !

La Walkyrie est rapidement imitée par les autres cavaliers. Ils s'élancent tous à la suite d'Ael vers la plaine enneigée, mais la jeune fille est vite dépassée par Jenesek et son magnifique étalon blanc, qui prennent la tête du groupe comme s'il s'agissait d'une question d'honneur ou encore de fierté. Tous ont quitté la grotte à présent. Tous sauf Elleira et Noah, qui demeurent immobiles sur leur monture. Plutôt que de lancer son cheval à la suite des autres, Elleira prend une grande inspiration et se tourne vers Noah. À propos d'Ael, elle lui dit :

— Elle a toujours eu le chic pour se faire remarquer, cette fille. Du temps où nous habitions encore Belle-de-Jour, Arielle et moi avions ce point en commun : nous détestions cette petite garce. Et je crois que, dans mon cas, ce ressentiment ne s'est jamais atténué.

— Elle a beaucoup changé…, tente Noah pour la défendre.

Mais Elleira ne lui laisse pas la chance de poursuivre et l'interrompt sur un ton sans réplique :

— Non, elle ne peut pas changer. Ce n'est pas dans sa nature. C'est bien Ael, et elle restera toujours Ael. Mais c'est Jason Thorn qui est le plus à plaindre.

— Jason ? Pourquoi ?

— Il est amoureux d'elle, soutient Elleira. Et elle de lui. C'est évident.

Elle marque un temps, puis demande :

— Et toi, es-tu toujours amoureux d'Arielle ?

Noah ne répond pas tout de suite. Il est conscient que sa réponse risque de blesser Elleira. Apparemment, elle éprouve toujours de forts sentiments envers lui.

— Je ne te mentirai pas, Elleira, dit-il au bout d'un moment. Je te respecte trop pour cela. Ce que je ressens pour Arielle Queen n'a jamais changé. D'aussi loin que je me souvienne, j'ai toujours été amoureux d'elle. Mais aujourd'hui, je ne sais plus d'où me vient cet amour. Je ne sais pas s'il m'appartient ou s'il m'a été transmis par mon alter.

— Ton alter? Tu veux dire Razan?

Noah acquiesce à contrecœur.

— Mais Razan ne peut pas aimer, soutient Elleira. Si ç'avait été le cas, il aurait fini dans l'Helheim, comme nous tous. Il serait mort depuis longtemps, et de la même façon que... que moi, conclut-elle après une brève hésitation.

C'est ma faute si elle est morte, songe Noah. *Mais elle ne m'en veut pas, j'en suis certain.*

— Razan n'est plus un alter, explique Noah. En fait, il ne l'a jamais été. Thor a fait croire à tout le monde qu'il en était un, mais c'était une simple mascarade. Thor a donné à Razan l'apparence et la puissance d'un alter, ainsi que d'autres petits pouvoirs normalement réservés aux demi-dieux, tels que l'invocation d'uniforme. Tout ça afin de fournir une couverture efficace à Kalev de Mannaheim, le souverain en exil de Midgard. Razan n'était en fait qu'un asile temporaire, une sorte d'abri fortifié servant de refuge à l'esprit de Kalev.

Elleira ne cache pas son étonnement:

— Le fils de Markhomer vivait à l'intérieur de Razan? Et personne ne s'en est jamais rendu compte?

— Même Razan l'ignorait. Thor a effacé la mémoire de Kalev pour empêcher qu'il se trahisse lui-même, puis l'a expédié sur la Terre afin qu'il joue le rôle de mon alter. Le camouflage parfait, en somme. Mais en supprimant les souvenirs de Kalev, Thor a créé un être à l'esprit vierge, sans mémoire. Au fil des années, il a forgé sa propre personnalité et, par la force des choses, est devenu Razan.

— Alors, Razan n'est pas Kalev?

— Non, ce sont deux êtres bien distincts. Lorsque Thor a voulu redonner sa mémoire à Kalev, puis fusionner sa personnalité et ses souvenirs avec ceux de Razan, il s'est produit quelque chose qui a fait que les deux êtres se sont séparés, puis incarnés dans deux corps différents. Razan existe de façon complètement autonome à présent. C'est un être vivant à part entière, il n'a plus rien à voir avec Kalev de Mannaheim. La personnalité de Razan s'est affranchie de celle de Kalev, alors que normalement elle aurait dû se fusionner à elle.

— Razan est l'élu, n'est-ce pas?

Noah confirme, mais de façon sereine. Visiblement, il a accepté ce fait.

— Cela a dû en étonner plus d'un, affirme-t-il ensuite d'un ton amusé. Même chez les dieux, à commencer par Thor. Je ne crois pas qu'il l'avait prévue, celle-là.

— Et toi? Tu n'as pas été trop déçu d'apprendre que Razan avait hérité de ton destin?

— Je l'ai déjà dit: ce n'est pas mon destin. Ça ne l'a jamais été. Aussi étrange que cela puisse paraître, je savais depuis longtemps que Razan était l'élu de la prophétie. Mais je n'ai jamais voulu l'admettre, ni en moi-même ni vis-à-vis des autres.

Noah touche son épaule, celle qui porte la marque des élus en forme de papillon.

— Je ne l'ai jamais dit à personne, mais mon papillon devenait blanc seulement lorsque je prenais ma forme alter. Lorsque je redevenais le simple petit Noah Davidoff, il reprenait sa couleur brune. Celui d'Arielle, contrairement au mien, garde sa blancheur en toute circonstance, signe qu'elle est l'élue.

Après avoir pris une profonde inspiration, le garçon poursuit :

— Il m'a fallu longtemps pour l'admettre enfin. Je ne pouvais envisager que le sort de l'humanité repose entre les mains d'un alter, et l'un des pires. C'était inconcevable. Chaque matin, en me levant, j'examinais ma marque pour voir si elle avait changé. Mais elle était toujours brune et le restait jusqu'au soir, jusqu'au moment où je prenais ma forme alter. Dès cet instant, elle redevenait banche. Et ça n'a jamais changé.

— Alors, l'élu est Razan ?... Incroyable.

— Il n'est plus le même. Quelque chose en lui a changé. Il a été transformé par... par...

— Par l'amour ?

Noah fait oui de la tête.

— Il aime Arielle ? demande Elleira.

— Depuis toujours, répond Noah. Mais jamais il ne le lui dira. C'est ce qui causera sa perte. Un jour, elle l'oubliera, et ira avec un autre.

— Tu penses à Kalev ?

Cette fois, Noah secoue la tête :

— Je pense à moi.

Elleira esquisse un sourire. Le genre de sourire forcé qui sert à masquer la déception.

— Arielle ne sait pas à quel point elle a de la chance, souffle-t-elle.

— Non, elle ne le sait pas, convient Noah.

Après une pause, le jeune homme ajoute :

— Tout à l'heure, quand Jenesek et toi êtes arrivés, tu as dit que Razan était mort et que c'était probablement lui qui avait entraîné Arielle dans une autre grotte.

— C'est vrai, admet Elleira.

Noah hésite avant de poser la question qui lui brûle les lèvres, comme s'il en avait honte. Au bout d'un moment, incapable de se contenir davantage, il finit par se lancer :

— Tu sais s'il retournera un jour dans le monde des vivants ?

Elleira l'examine une seconde. Elle saisit très bien où il veut en venir.

— Tu veux savoir s'il mourra pour de bon ? Non, je ne sais pas.

— Un peu plus tôt, tu as dit que l'arrivée de Razan était annoncée. Que voulais-tu dire ?

Elleira secoue la tête. Elle ne semble pas vouloir répondre à la question. Noah s'apprête à insister lorsqu'un des chevaux réapparaît à l'horizon. La monture porte sur son dos les elfes jumeaux. Leur cheval s'immobilise à quelques mètres de celui d'Elleira et Noah. Idalvo et Leandrel fixent alors Noah en silence, tout en posant la main sur leurs épées fantômes. Ce geste suffit à rappeler au garçon que les deux frères ont été chargés de veiller sur lui, de l'escorter, plutôt. Inutile d'expliquer la raison de leur retour désormais ; Noah devine très bien ce qu'ils attendent de lui.

— Ils sont là pour moi, dit-il à Elleira. Il faut y aller.

Elleira hoche la tête.

— Ils sont dociles comme de bons petits soldats, ces elfes, observe la jeune alter en faisant avancer son cheval.

Elle force ensuite sa monture à suivre les traces laissées dans la neige par les chevaux qui les ont précédés dans la plaine.

— Ils ne me lâcheront pas d'une semelle si c'est ce que Jason leur a demandé, déclare Noah d'une voix forte, pour être certain d'être entendu, alors qu'ils croisent les deux elfes sur leur cheval.

Ces derniers ne bronchent pas. Ils suivent simplement leur « protégé » du regard. Après s'être assurés qu'Elleira et Noah prenaient la bonne direction, les deux elfes font faire demi-tour à leur monture et s'engagent à leur tour sur la voie déjà tracée par Jenesek et les autres. Prochain arrêt : la citadelle de l'Helheim.

8

*Razan et Arielle sont toujours
prisonniers des puissantes serres
du grand aigle Hraesvelg,
le Mangeur de cadavres.*

Sous eux défile le paysage sinistre et enneigé de l'Helheim. Le vent n'a pas cessé, bien au contraire ; son souffle glacial continue de malmener les deux jeunes gens, soumis à ce froid extrême depuis plusieurs minutes déjà. Razan tente de réchauffer Arielle par tous les moyens, mais cela ne suffit pas. La jeune fille ne va pas très bien ; elle s'est affaiblie et sa peau a pris une teinte pâle et livide. Son corps est secoué par d'intenses grelottements, aussi violents que répétitifs, et de fines gouttelettes de transpiration parsèment son front. Heureusement qu'ils se rapprochent de la rivière Gjol et des murailles de la citadelle. Arielle se dit qu'une fois parvenus à l'Elvidnir, ils trouveront certainement un endroit chaud où se réfugier.

— J'ai… j'ai peur de perdre conscience, réussit-elle à articuler.

— Tiens le coup, princesse, on arrive bientôt, lui dit Razan.

Le jeune homme colle son visage contre celui d'Arielle en espérant que cela la réchauffera un peu, mais constate que l'adolescente est brûlante de fièvre. Razan relève légèrement la tête et pose un baiser sur son front chaud et humide.

— Courage, ma belle, lui murmure-t-il tout doucement. Tu n'as rien à craindre. Je suis là, je m'occupe de toi. On va s'en sortir. Ensemble, toi et moi.

— Oui, ensemble…, répète faiblement Arielle.

Le grand oiseau et ses deux proies atteignent enfin les berges de la rivière Gjol. Curieusement, Razan est incapable de repérer la fée Modgud et le chien Garm, qui sont chargés de garder en tout temps l'entrée du pont. *Ils ont disparu,* conclut Razan après avoir scruté attentivement le terrain. *Mais c'est impossible. Ils gardent ce pont depuis toujours, depuis la naissance même de ce royaume.* Hraesvelg poursuit son vol tout en longeant le pont qui mène à l'autre rive. Sous ce pont devraient normalement se déchaîner les eaux de la rivière Gjol, mais aujourd'hui, les eaux sont calmes ; il n'y a aucune vague, aucun mouton d'écume, et les vautours qui patrouillent en permanence au-dessus de la rivière se sont évanouis eux aussi. Traverser la rivière pour atteindre la citadelle n'a jamais été aussi facile. C'est l'accalmie totale. De là-haut, Razan arrive même à suivre la progression du grand aigle, grâce aux eaux dormantes qui réfléchissent sa silhouette. *Quelque chose ne va pas ici*, songe Razan. *Ce n'est pas dans les habitudes de Loki et de Hel de se montrer aussi accueillants. Ils mijotent un sale coup, c'est certain.*

Le grand aigle survole les murailles de la citadelle, franchissant du même coup Gnipahellir, son portail. Viennent peu après le premier corps de garde, puis de nouvelles plaines désertes et enneigées au milieu desquelles sont dispersés des baraquements de soldats. Là non plus, Razan ne perçoit aucune activité. Tout est désert. Pas âme qui vive. Pas un seul alter en vue. Ils se dirigent ensuite vers le centre de l'enceinte, où s'élève le pic rocheux au sommet duquel est érigé l'Elvidnir, l'imposant palais de glace de la déesse Hel. Hraesvelg a tôt fait d'atteindre le faîte de la montagne, puis les remparts du palais. Il survole les douves et le pont-levis, puis, au grand soulagement de ses passagers, réduit enfin son altitude. L'aigle atterrit dans la cour intérieure du palais et libère Arielle et Razan de ses serres. Il pose doucement les deux jeunes gens au sol, puis bat des ailes et reprend son envol. En quelques secondes à peine, Hraesvelg a quitté le palais et a disparu du champ de vision des deux jeunes gens.

Étourdie et fiévreuse, Arielle vacille sur ses jambes. Razan s'empresse d'attraper la jeune fille et de la soulever dans ses bras. Le garçon ne se prive pas de la serrer de nouveau contre lui, mais cette fois, la jeune élue ne proteste pas ; mal en point comme elle l'est, elle n'a plus la force ni l'envie de résister. Tenant toujours Arielle dans ses bras, Razan fait un tour complet sur lui-même, examinant en détail la cour intérieure. Il n'y a personne, pas même un garde. La vaste cour est vide. Razan était pourtant certain qu'ils y trouveraient un large comité d'accueil à leur arrivée. L'étrangeté de la situation laisse le jeune homme sans voix.

Razan connaît très bien ce palais, pour y avoir vécu pendant plusieurs mois lorsqu'il servait comme capitaine dans la garde prétorienne de Loki. Après l'assassinat de Noah par Saddington, Razan, tout comme sa personnalité primaire, a été expédié dans l'Helheim. Sur la Terre, la disparition de Noah n'a duré que quelques jours, contrairement au séjour de Razan dans l'Helheim, qui, lui, s'est étiré sur presque toute une année. Les variations temporelles qui existent entre les royaumes provoquent parfois ce genre de décalages inexplicables. Lorsque Arielle et ses autres compagnons retourneront à Midgard, qui sait combien de temps se sera écoulé entre le moment de leur départ et celui de leur retour.

Razan fonce vers la tour d'angle la plus proche dès qu'il en a repéré l'entrée. Le plus important pour le moment est de trouver un endroit où Arielle pourra se reposer et se réchauffer. Razan se souvient que chaque tour abrite un petit poste de garde. Il y trouvera certainement des couvertures et de quoi faire un feu. Si sa mémoire est bonne, la tour vers laquelle il se dirige contient même un lit de camp, ainsi qu'un petit poêle en fonte.

— Ces babioles sont inutiles, dit soudain une voix derrière Razan. Elle est assez forte pour se remettre de ce léger inconfort par elle-même. Elle fait partie de la race des demi-dieux, ne l'oubliez pas, capitaine Razan.

Cette voix basse et sépulcrale, Razan la reconnaîtrait entre mille: c'est celle de Hel, la déesse du mal et souveraine de l'Helheim. Le garçon se retourne précipitamment et constate qu'il a deviné juste. Hel, la grande dame blanche, se tient devant lui. Sa taille est immense: elle doit faire au moins trois mètres de haut. Ses cheveux bouclés lui vont jusqu'à la taille, et elle est vêtue d'une longue robe en soie blanche. Même dans cette tenue légère, elle ne souffre pas du froid intense qui règne dans l'Helheim. Bien que son visage soit magnifique, la déesse, sous le coup de la colère, peut se transformer en une horrible créature, la plus hideuse et la plus vile qui soit. Tous ceux qui ont vécu dans ce royaume savent que ce sont la froideur et la cruauté émanant du cœur de la déesse qui servent à refroidir le royaume des morts.

— Elle est non seulement de la race des demi-dieux, poursuit Hel, mais elle est aussi ma demi-sœur. Loki est son…

— Père, complète Razan. Oui, je suis au courant, votre copain Tyr m'a tout raconté. Ça ferait un excellent téléroman, votre histoire de famille, vous ne trouvez pas?

Hel sourit.

— À ce que je vois, capitaine, vous avez perdu votre sens de la loyauté, mais pas votre sens de l'humour.

— Déloyal, moi? répète Razan en feignant l'indignation. Vous faites erreur: j'ai simplement changé d'allégeance. Je ne suis plus à votre service, c'est vrai, mais je sers les intérêts de quelqu'un d'autre à présent.

— Lesquels?

— Les miens!

Razan sent Arielle qui bouge dans ses bras. Il la croyait pourtant évanouie.

— Pose-moi, lui demande-t-elle. Je… je peux me tenir debout.

— Tu en es certaine?

Arielle fait oui de la tête. Razan remarque que la jeune fille va déjà mieux: les grelottements ont cessé et son visage a repris des couleurs. Elle a les traits moins tirés et il n'y a plus aucune trace de sueur sur son front.

— Il te sous-estime, ma chérie, dit Hel en s'adressant cette fois à Arielle. Il ne sait pas encore de quoi tu es capable. Tu disposes d'une étonnante puissance, petite sœur. Elle n'est pas aussi élaborée que la mienne, mais ça viendra.

Arielle n'est pas encore très solide sur ses jambes, mais, avec l'aide de Razan, elle avance tout de même en direction de Hel.

— Ce n'est jamais très prudent de s'approcher d'un dieu du mal, lui fait remarquer son compagnon. Tu es certaine qu'on ne devrait pas s'éloigner, à la place?

Mais Arielle ne répond pas. Elle fixe plutôt son regard sur Hel, tout en prenant un air menaçant:

— Ne m'appelez plus jamais petite sœur, sale garce! ordonne-t-elle à la géante. Vous m'entendez? JAMAIS!

Hel ne peut s'empêcher de rire.

— Holà! mais je suis terrifiée! se moque la déesse. Si tu te fâches encore un peu, tu vas faire comme moi et te transformer en vilain monstre! Au fait, tu ne t'es jamais demandé pourquoi il t'arrivait de te métamorphoser en véritable bête enragée lorsque tu ressentais une émotion forte, comme de la colère ou de la tristesse? Eh oui, ma belle, on est tous comme ça dans la famille: une sorte de legs génétique, si tu veux. Ce n'est pas fantastique?

Hel s'esclaffe de plus belle, sachant que ses propos ont profondément troublé la jeune fille.

— Je n'ai pas de famille, à part mes amis, réplique Arielle en s'immobilisant devant la déesse. Et les seuls parents proches que j'ai jamais eus sont morts tous les deux.

La jeune élue doit lever les yeux pour s'adresser à la géante.

— Tu parles de Sim et de Gabrielle? fait cette dernière. Et que fais-tu de Fenrir et de Shokk, tes deux demi-frères? Angerboda n'a aucun lien de sang avec toi, mais c'est quand même ta belle-mère, non? Et Emmanuel? N'est-il pas ton jumeau? Et tes sœurs? Tu oublies tes sœurs!

— Je n'ai pas de sœurs, je vous l'ai dit.

— Et les dix-neuf sœurs reines? Je vous croyais pourtant toutes très unies!

— Ce ne sont pas mes sœurs, ce sont... mes ancêtres.

La déesse secoue la tête, puis, prenant un air faussement charitable:

— Tss-tss, pas si vite, ma chérie, dit-elle comme si elle la réprimandait, mais avec une certaine compassion. Elles sont à la fois tes sœurs et tes ancêtres. Ma pauvre ! Personne ne t'a jamais dit qu'elles avaient toutes le même père ? Le même que toi et moi : Loki !

Razan sent Arielle faiblir de nouveau. Il doit la retenir de ses bras pour éviter qu'elle s'effondre.

— Ce n'est pas vrai, souffle la jeune fille. C'est… c'est un mensonge… je…

Razan sait pourtant que c'est la vérité, Tyr le lui a expliqué dans la fosse. Mais il n'a pas l'intention de le mentionner à Arielle. Pas tout de suite, du moins ; elle est beaucoup trop vulnérable.

— Super, cette nouvelle passion que vous avez pour la généalogie, Hel, intervient-il plutôt, mais rendez-moi service, d'accord ? Foutez-nous la paix un instant avec vos conneries !

— Ma foi, capitaine Razan, on dirait que vous vous faites réellement du souci pour cette jeune fille. Un alter qui se préoccupe autant d'un être humain, c'est bien la première fois que je vois ça !

Razan recule lentement, entraînant Arielle avec lui.

— Je ne suis plus un alter, répond-il.

— Vraiment ? Alors, ça explique ce changement d'allégeance. Vous êtes du côté des humains maintenant ?

— Je vous l'ai dit : je ne suis d'aucun côté, à part le mien.

— Que faites-vous ici alors ?

Razan s'apprête à répondre, mais s'interrompt un instant pour réfléchir. Hel a raison : que fait-il ici au juste ? Ne devrait-il pas se trouver sur une île du Pacifique à parfaire son bronzage, un cocktail à la main et les doigts de pied en éventail ? Mais non ! Veinard comme il l'est, il a fallu qu'une bande de militaires enragés lui trouent la peau !

— Je ne serais pas ici si le général Sidero et ses hommes n'avaient pas vidé le chargeur de leurs armes sur moi, fait-il. Je leur en dois une, à ces couillons !

Arielle reprend soudain de la vigueur. Sans prévenir, elle repousse Razan et, telle une furie, fonce tête baissée en direction de Hel. Une fois qu'elle a parcouru la moitié de la distance la séparant de la déesse, Arielle lève bien haut son poignet, celui qui porte le bracelet en argent que lui a légué Mastermyr, puis s'écrie :

— *Nasci Modi !*

Le bracelet d'argent se transforme alors en bracelet de glace. La glace se déforme, comme si elle fondait, puis prend de l'expansion. Elle recouvre tout d'abord la main d'Arielle, puis se concentre dans sa paume, où elle se solidifie enfin et prend la forme d'une poignée. Lorsque Arielle referme solidement sa main dessus, la garde poursuit sa croissance et prend l'aspect d'un poignard, puis d'une dague. Elle grandit encore et finit par devenir une magnifique épée de glace.

— Je suis ici pour accomplir la prophétie ! clame Arielle en brandissant sa nouvelle arme. Et il est hors de question que j'échoue !

Arielle soulève l'épée de glace au-dessus de sa tête et se prépare à l'abattre violemment sur Hel, mais la déesse n'a pas l'intention de rester là sans réagir : elle ouvre la bouche et souffle doucement en direction de la jeune élue. Ce qui n'est au départ qu'une simple expiration se change rapidement en une puissante rafale de vent ; une bourrasque si forte qu'elle projette l'adolescente à plusieurs mètres de distance. Lorsque Arielle retombe sur le sol, à l'autre extrémité de la cour arrière, son épée se brise en un millier de petits éclats qui s'éparpillent autour d'elle. Privé de sa lame, le bracelet de glace à son poignet redevient un simple bijou d'argent. *L'important est qu'il soit toujours là*, se dit Arielle en l'examinant. *Le moment venu, il me servira à invoquer une autre épée.*

— Souviens-toi de ce que je t'ai dit la dernière fois que tu es venue ici ! rugit Hel avec une impitoyable dureté. Je t'ai dit que la prophétie ne se réaliserait pas. Je t'ai dit aussi que les dieux ne craignent pas les prophéties, car ce sont eux qui les font ! Ce tissu de mensonges auquel tu crois si fort n'est rien d'autre qu'une fabulation de vieil elfe sénile !

Une fabulation ? songe Arielle. La jeune fille secoue la tête, incapable de croire à ce que vient de lui révéler la géante.

— C'est impossible…

— Je n'ai pas besoin de te convaincre, réplique la déesse avec un petit sourire cruel. Là, en cet instant, tu sais que j'ai raison. Tu le sais parce que tu fais aussi partie du plan. Le plan ingénieux qu'a élaboré notre père.

Arielle est fortement secouée. Chaque fibre de son corps lui confirme que Hel dit la vérité. Cette soudaine certitude anéantit complètement la jeune élue. Razan s'empresse d'aller la retrouver. Après s'être assuré qu'elle n'est pas blessée, il tente de la réconforter, en vain.

— C'est terrible, dit-elle à Razan. La prophétie… les élus… tout ça est faux.

— Ne l'écoute pas, l'implore Razan. C'est un démon. Elle dit ça pour te faire douter, pour te faire du mal.

Arielle fait non de la tête :

— Elle dit la vérité… Je sais qu'elle dit la vérité. Dès qu'elle a parlé, j'ai su.

— Arielle, écoute, elle sait que tu es vulnérable et elle essaie de…

— Non ! Elle n'a pas menti ! Elle n'a pas menti, tu comprends ? Loki nous a bien eus ! Il nous a tous eus ! Thor et Odin y compris !

— Je ne comprends pas ce que tu dis, princesse.

— La Lune noire, Razan ! C'est le plan de Loki !

Arielle hésite un moment, puis reprend :

— Je croyais que le traître était Rose… Je croyais qu'elle était Angerboda…

— Angerboda ? Mais qu'est-ce que tu racontes ?…

Arielle inspire profondément, mais ne parvient pas à calmer les tremblements qui agitent son corps.

— Je croyais savoir qui était le traître, explique-t-elle sur le même ton nerveux. J'étais convaincue que c'était Rose. Que Rose était Angerboda. Je pensais qu'Uris l'Occulteur n'était pas une personne, mais une chose. Une chose qui en cachait une autre, comme une espèce d'énigme à résoudre, une devinette… Mais si la prophétie est fausse, alors, tout ce qu'a prédit Amon ne tient plus. S'il n'y a pas d'élus, alors il n'y a pas davantage de traître.

— Arielle, tu délires…

— Tu dois me croire, Razan. J'ai toute ma tête, je te le jure!

— Hel et Loki s'amusent peut-être avec toi, Arielle, tu y as pensé? Ce sont eux qui te mettent toutes ces idées dans la tête. Je suis sûr qu'Amon n'était pas fou. C'était un elfe de lumière respecté par son peuple, et je suis certain que sa prophétie est vraie!

Une larme coule sur la joue d'Arielle, ce qui semble réjouir la grande déesse. Celle-ci jette un regard narquois sur les deux adolescents, tandis qu'elle traverse la cour intérieure pour se rapprocher d'eux.

— Je ne sais plus, Razan. Je ne suis plus certaine de rien… Je ne sais plus à qui faire confiance.

Razan étudie la jeune fille pendant quelques secondes, et finalement l'entoure de ses bras puissants et la serre contre lui.

— Je suis là, princesse, déclare-t-il avec une tendresse dont lui-même ne se savait pas capable. À moi, tu peux faire confiance. Et la première chose que je te promets, c'est qu'à notre retour, je t'emmène avec moi au Bora Bora Lagoon and Spa Resort pour une semaine de vacances bien méritées. Tu as déjà fait de la plongée en apnée?

Razan réussit à faire sourire la jeune fille, mais cela ne dure pas. Lorsque Arielle lève les yeux, elle aperçoit Hel derrière lui. La géante les surplombe, menaçante, du haut de ses trois mètres, et les observe avec dédain et mépris.

— Vous êtes pathétiques, crache la déesse. Si je n'avais pas encore besoin de toi, Arielle, je crois que je mettrais fin à tes jours, là, maintenant. Ne te laisse pas enjôler par ce minable humain. Tu es la fille d'un dieu, et c'est à ton père que tu dois admiration et obéissance !

— Elle est derrière moi ? demande Razan qui entend la déesse sans la voir.

Arielle fait signe que oui. Razan grimace, puis se relève lentement et se tourne pour faire face à Hel.

— Humain, je le suis. Mais ce n'est pas par choix. La seule chose que j'apprécie chez les humains, ce sont leurs designers et leurs stylistes. Ils ont beaucoup plus de talent que ceux des elfes et des alters. Prenez ce manteau de cuir, par exemple, dit-il en désignant celui qu'il porte. C'est un Jean Paul Gaultier. Vous savez combien ça vaut ?

La déesse reste de marbre. Il n'en faut pas plus à Razan pour continuer :

— On vous a déjà dit que vous souffriez de gigantisme ? C'est un handicap sérieux, vous savez. Pas facile de trouver un mec lorsqu'on a votre taille. Probable que les seuls garçons que vous ayez jamais embrassés étaient des ogres ou des trolls, pas vrai ?

— Ça suffit ! grogne la déesse en frappant Razan au visage.

Le jeune homme est violemment projeté contre la paroi dure et glacée de la tour d'angle, celle où il souhaitait se réfugier plus tôt avec Arielle. Il retombe mollement sur le sol.

— Razan ! s'écrie l'élue.

L'impact a été terrible, au point d'infliger des blessures mortelles à un être humain. Même un alter aurait difficilement survécu à un pareil choc. Arielle se remet sur ses jambes et se précipite vers Razan, mais elle est vite rattrapée par Hel, qui l'agrippe par un bras et la soulève de terre.

— Pas si vite, petite sœur ! On a des choses à régler, toi et moi !

— Lâchez-moi ! lui ordonne Arielle. Vous ne voyez pas qu'il a besoin d'aide !

Hel fait entendre un autre de ses rires sardoniques.

— Tu parles de Razan ? Oublie-le, ma chérie. Il a joué son rôle, mais maintenant c'est terminé : il sera mort bientôt. En fait, il est déjà mort, en théorie. Mais j'ai bien l'intention de le tuer une seconde fois, si ce n'est déjà fait. Tout ce qui meurt dans l'Helheim meurt pour de bon. Pas de paradis, de Walhalla ou de voyages vers un autre royaume quand on meurt ici. C'est l'anéantissement total, pour l'éternité. On disparaît à jamais.

— Vous ne pouvez pas tuer Razan !

— Ah non ? s'étonne la déesse. Et pourquoi pas ?

— Parce que je l'aime et que je ne vous laisserai pas faire !

— Tu crois pouvoir te mesurer à moi ? Ta naïveté est presque touchante.

— Vous ne gagnerez pas, Hel !

— Tu te trompes, répond la géante, amusée. J'ai déjà gagné. Nous avons tous déjà gagné. Bientôt, tu régneras sur l'un des dix-neuf Territoires. Tu seras reine de Midgard, et les hommes se prosterneront devant toi et devant tes sœurs, tel que l'a prévu Loki.

— Je ne suis pas de votre race. Jamais je ne soumettrai les hommes à mon pouvoir ! Je suis ici pour les libérer ! Pour libérer leurs âmes de votre prison, afin qu'elles puissent quitter enfin l'Helheim et trouver la paix au Walhalla !

Hel tient toujours Arielle par le bras. La déesse attire soudainement la jeune fille à elle, sans précaution aucune, puis l'approche à quelques centimètres de son visage.

— Tu évoques de nouveau la prophétie ! lui dit-elle, alors que toutes deux se font face. Pour accomplir cette prédiction, il faudrait encore qu'elle soit vraie. Tu ne parviendras jamais à libérer les âmes prisonnières du Galarif, car pour cela il faudrait que tu me tues, et c'est impossible : je suis immortelle. Tu arrives trop tard, de toute manière. Tout est déjà terminé, comme pour le beau capitaine Razan !

— Razan vivra ! proteste Arielle, le regard débordant de haine.

— J'ai bien peur de te décevoir, ma chérie. À moins que la cavalerie ne débarque, ton amoureux ne s'en sortira pas vivant, parole de déesse. Pour lui… c'est la fin.

9

*Elleira et Noah, ainsi que leur
escorte elfique, ont tôt fait
de rattraper le reste du groupe.*

Jenesek et sa monture mènent toujours la
troupe. Ils sont suivis d'Ael et de Jason. Viennent
ensuite Geri et Brutal, puis se joignent à eux
Elleira et Noah, talonnés par Idalvo et Leandrel,
les elfes jumeaux. La chevauchée jusqu'au pont
de la rivière Gjol ne dure pas plus d'une heure. Ils
ne se trouvaient donc pas très loin de la citadelle,
mais ils n'auraient tout de même pas pu faire le
voyage à pied, les conditions climatiques étant
trop difficiles. La tempête et le froid les auraient
considérablement ralentis. Heureusement qu'ils
avaient des chevaux.

— Mais où sont nos hommes? s'interroge
Jenesek en immobilisant son cheval.

Il fait allusion aux autres alters renégats, ceux
qui, comme Elleira et lui, ont rejoint les rangs du
Clair-obscur. Le grand alter se tourne vers Elleira

lorsque celle-ci arrive à sa hauteur. Tous les deux se font face, du haut de leur monture. Noah, toujours installé derrière Elleira, garde bien sagement le silence.

— Je croyais qu'ils devaient tous nous rejoindre ici! fait remarquer Jenesek à son chef.

— C'est bien ce qui était convenu, répond Elleira.

Elle scrute les environs, mais ne voit rien.

— Difficile à dire avec cette tempête, déclare-t-elle, visiblement inquiète. Pour l'instant, je ne les vois nulle part, et il n'y a aucune trace de leur passage dans la neige. L'absence de Modgud et de Garm est encore plus mystérieuse, si tu veux mon avis. Nous ne sommes plus très loin du pont. Ils devraient se trouver là tous les deux. Il arrive parfois, rarement, que Modgud se déplace, mais Garm demeure ici en permanence. Et ce silence… Tu entends ce silence?

— Les vautours ne survolent plus la rivière, répond Jenesek. Ça ne me dit rien qui vaille. L'Helheim est beaucoup trop tranquille. Quelque chose se passe ici.

— Ou quelque chose s'est déjà passé, ajoute Elleira. Regarde de l'autre côté du pont. Le portail de la citadelle n'est pas gardé. Et nous n'avons croisé aucune sentinelle alter depuis notre départ de la grotte.

— Raison de plus pour ne pas s'attarder ici! intervient Brutal, derrière eux. La voie est libre, alors pourquoi ne pas continuer? Arielle a besoin de nous. Elle a peut-être déjà atteint l'Elvidnir!

N'étant que passager sur le cheval qui le transporte, Brutal oblige Geri à faire avancer leur monture jusqu'à Elleira et Jenesek.

— Allez, le caniche ! T'as peur de t'imposer ou quoi ? Non mais, tu le fais obéir, ce canasson, oui ou non ? !

— Du calme, le minet ! rétorque Geri.

— Je doute qu'Arielle soit là-bas, déclare Jenesek en examinant le sol. Rien ne prouve qu'elle soit passée par ici. Aucune trace de pas, rien.

— Des traces de pas ? s'indigne Brutal. Mais elle y est peut-être allée à bicyclette, qu'est-ce que t'en sais, hein ? ! Enfin, soyons sérieux, les gars : la neige a très bien pu recouvrir les traces d'Arielle, tout comme celles de vos copains maquisards. Et qui vous dit que vos hommes n'ont pas décidé de traverser le pont en constatant que personne ne le gardait ? Ils nous attendent peut-être à l'intérieur de la citadelle en ce moment même. Je suis sûr qu'ils sont bien au chaud derrière ces murailles, alors que nous continuons à nous geler le popotin ici, au milieu de cette satanée tempête !

— Ils n'auraient pas désobéi aux ordres, soutient Elleira.

— Mais ce foutu climat est à lui seul un motif valable pour désobéir à tous les ordres de l'univers, voyons ! s'impatiente Brutal. Vous vous demandez où sont passés Modgud et Garm ? Eh bien, ils sont probablement en train de siroter un chocolat chaud au resto du coin. Il n'y a que les abrutis comme nous qui s'arrêtent au beau milieu d'une tempête pour discuter !

153

Ael et Jason s'avancent à leur tour, mais n'arrêtent leur cheval qu'après avoir dépassé tout le groupe. En se rapprochant un peu plus du pont de la rivière Gjol, ils démontrent clairement leurs intentions.

— Le chat a raison, dit Ael. De toute façon, il serait idiot de rester ici. Vous pouvez attendre vos hommes si ça vous chante, mais Jason et moi allons traverser le pont et nous rendre jusqu'au portail de la citadelle. Les animalters et les elfes viennent avec nous.

— Attendez un instant! fait Jenesek.

— Merci de nous avoir conduits jusqu'ici, répond Ael.

— Nous allons vous accompagner, décide finalement Elleira.

— Et que fait-on des hommes? demande Jenesek qui ne semble pas du tout d'accord avec la décision de son chef.

Elleira secoue la tête en silence.

— Tu le vois comme nous, déclare-t-elle ensuite, les hommes ne sont pas ici. Et j'ai la désagréable impression que... qu'on ne les reverra plus jamais, conclut-elle après une hésitation.

La réponse de Jenesek est immédiate:

— Tu te trompes, Hati. Ce sont de braves et courageux combattants. Ils ne nous ont jamais laissé tomber.

— C'est vrai, admet Elleira. Mais aujourd'hui, ce ne sont pas nos anciens frères alters que nous combattrons. Aujourd'hui, ceux que nous devrons affronter, ce sont les dieux du mal. C'est une puissance à laquelle nous ne nous sommes jamais mesurés auparavant.

Le cheval d'Ael et de Jason file déjà au galop vers le pont. Les deux elfes et leur monture contournent le reste du groupe et prennent la même direction, aussitôt imités par Geri et Brutal. Elleira adresse un dernier regard à Jenesek, qui finit par accepter de les accompagner. Leurs deux montures se lancent côte à côte sur les traces des autres et galopent ensemble jusqu'à ce qu'ils atteignent l'entrée du pont.

Toujours pas de trace de la fée Modgud et du chien Garm. Ael et Jason sont les premiers à s'engager sur le pont. Ils sont suivis de Geri et Brutal, puis des deux elfes de lumière, Idalvo et Leandrel. Jenesek hésite un moment, puis commande à son cheval d'avancer. Elleira et Noah ferment la marche. Ils traversent tranquillement le pont, l'un à la suite de l'autre. Sous eux, la rivière Gjol demeure étrangement calme, et il n'y a pas le moindre vautour dans le ciel.

Une fois parvenus sur l'autre rive, ils s'arrêtent un bref moment pour admirer les imposantes murailles de la citadelle, aussi hautes et majestueuses que les grands glaciers polaires de Midgard. Rapidement, Elleira leur indique que Gnipahellir, le grand portail, est ouvert et qu'aucun garde alter ne le surveille.

— C'est sûrement un piège, observe Jenesek. C'est comme s'ils nous invitaient à entrer.

— Que ce soit un piège ou non, répond Brutal, ça ne nous arrêtera pas. En tout cas, pas tant que nous n'aurons pas retrouvé Arielle.

Tous les membres du groupe dégainent leurs armes en franchissant le portail. Ils ne savent pas ce qui les attend de l'autre côté. Jenesek espère y trouver ses hommes, mais rien n'est moins sûr. Une fois encore, il n'y a personne pour les arrêter : aucun alter, aucun troll, aucune gargouille géante pour leur barrer la route ou pour les attaquer. Rien.

— Incroyable ! fait Elleira. Mais où sont-ils tous passés ?

— Les deux élus ont uni leurs médaillons, déclare Jason. Peut-être que les alters n'ont pas seulement disparu de Midgard, mais aussi de tous les autres royaumes.

— Bien essayé, cow-boy, répond Ael. Mais nos deux renégats ici présents sont aussi des alters, ajoute-t-elle en désignant Elleira et Jenesek. Si l'union des médaillons avait réellement chassé les alters de l'Helheim, la grande Hati et son chien de poche auraient disparu eux aussi.

— Attention à ce que tu dis, Ael, rétorque Elleira sur un ton menaçant. On ne s'adresse pas à moi de cette façon, et encore moins à mes hommes !

— Relaxe, ô grand chef des maquisards ! lui dit Ael. C'était pour rigoler !

— Et toi, Ael, comment se fait-il que tu sois toujours vivante ? lui demande Jenesek pour lui rendre la monnaie de sa pièce. Tu es une alter, toi aussi, alors pourquoi n'as-tu pas été anéantie lorsque les élus ont uni leurs médaillons ?

La question du grand alter déclenche le rire d'Ael.

— Parce que je dispose de deux atouts importants dans mon jeu : un, je ne suis pas seulement une alter, mais aussi une Walkyrie. Et deux, Jason Thorn, mon amoureux, m'a offert le plus beau cadeau qui soit : un edelweiss noir. J'imagine que la combinaison de ces deux éléments a suffi à me protéger.

— Jason ?... Ton... amoureux ? fait Geri sans cacher son étonnement.

Ael acquiesce sans la moindre gêne, avec une certaine fierté même, tandis que Jason semble beaucoup plus hésitant. Dès qu'Ael a prononcé le mot « amoureux », les yeux du jeune chevalier se sont écarquillés et il a rougi des pieds à la tête – il ne s'attendait pas à ce qu'elle l'annonce de cette manière, ni aussi vite !

— Je me doutais bien qu'il y avait quelque chose entre vous deux, ricane Brutal. Tu es un sale petit cachottier, Lucky Luke !

Le malaise qu'éprouve Jason est palpable. Il ne sait pas quoi répondre.

— Ben, disons que... En fait, je...

Ael lui jette un regard sévère par-dessus son épaule.

— En fait, quoi ?

Jason sent tout de suite qu'Ael n'entend pas à rire.

— En fait, je ne pensais pas que... que c'était vraiment officiel et...

— Ça l'est ! lance Ael sur un ton sans réplique.

Brutal et Geri doivent déployer de grands efforts pour ne pas s'esclaffer devant l'air ahuri que prend le jeune fulgur. Mais à bout de forces, les deux animalters finissent par céder.

— Jason, mon vieux, tu viens de trouver chaussure à ton pied ! lui lance Geri en hurlant de rire.

— On voit tout de suite qui porte la jupe et qui porte la culotte ! renchérit Brutal, après avoir failli tomber en bas de son cheval tant il se tord d'hilarité.

— La ferme ! leur ordonne Jason.

Un petit sourire se dessine alors sur les lèvres d'Ael, qu'elle parvient aussitôt à chasser. Elle trouve amusant de voir Jason réagir ainsi. Elle y est allée un peu fort, c'est vrai, mais c'était seulement pour divertir la galerie. Pas question, cependant, de l'avouer à Jason ; apprendre qu'il a été mené en bateau, même si peu, le mettrait probablement en colère. Ael ne se considère pas comme une matrone, loin de là, mais cet amour est nouveau pour elle, et sa plus grande crainte est de le voir s'achever. Elle se sent heureuse pour la première fois de sa vie, et il est hors de question qu'elle laisse ce bonheur lui échapper. Ael aime Jason, et même si elle n'a pas vraiment l'intention de lui imposer cette relation, elle est toute disposée à se montrer persuasive afin de le convaincre de demeurer auprès d'elle. Ce ne sera pas difficile, puisque le garçon l'aime aussi, elle en est certaine. Mais si jamais Jason ne se montrait pas à la hauteur, s'il n'était pas sérieux avec elle ou s'il la rendait malheureuse, intentionnellement ou non, elle n'hésiterait pas une seconde à se servir de son ancienne férocité d'alter pour lui remettre les idées en place! *Prends garde, Jason Thorn, se dit-elle. Ce n'est pas tous les jours qu'on fréquente une alter recyclée en Walkyrie. Faut avoir les reins solides, mon gars, si on ne veut pas se les faire briser!*

Cette brève pause leur a permis à tous de se détendre un peu. Tous, sauf Elleira et Jenesek, qui ont pris la tête de l'équipée, à un point tel qu'ils ont devancé les autres de plusieurs centaines de mètres. Le portail de l'Helheim est maintenant derrière eux. Ce qui se trouve devant, c'est une large étendue désertique où sont éparpillés de nombreux baraquements militaires, ceux où logent et s'entraînent normalement les soldats alters de l'Helheim. Les bâtiments paraissent vides, abandonnés, tout comme les postes de garde qui longent le chemin menant à l'Elvidnir. Voyant qu'aucune menace ne se profile à l'horizon, tous les membres du groupe rengainent leurs armes et se réunissent au pied de l'unique montagne de la citadelle, celle qui accueille l'Elvidnir en son sommet.

— Si le général Sidero et ses alters se cachent quelque part, dit Jenesek en désignant le haut de la montagne, c'est certainement dans l'Elvidnir.

— Ça ne tient pas debout, affirme Ael. Pourquoi se donner la peine de monter là-haut, alors qu'ils auraient très bien pu se regrouper tout près du portail et nous tomber dessus au moment où nous entrions dans la citadelle?

— Ael a raison, renchérit Jason. Nous ne sommes que neuf, alors que les alters de l'Helheim sont des milliers. S'ils se trouvent bien dans ce palais, je peux vous assurer que ça n'a rien à voir avec une quelconque stratégie militaire.

Geri y va également de son hypothèse :

— Peut-être que Loki et Hel ont besoin de leurs troupes pour combattre Arielle et Razan ?

— Arielle et Razan sont humains, répond Noah. Et ils n'ont plus aucun pouvoir. À eux deux, ils pourraient peut-être venir à bout d'une dizaine d'alters, mais jamais de Hel et de Loki.

Elleira est d'accord.

— Les dieux du mal n'ont besoin de personne pour régler leurs comptes. Ils savent très bien se débrouiller seuls.

— Blablabla, fait Brutal, exaspéré. Encore du papotage. Avec tout ce temps perdu en discussions, on sera chanceux si Arielle est encore vivante lorsqu'on entrera enfin dans ce maudit palais !

Ne maîtrisant plus son impatience, Brutal pousse Geri en bas de leur monture et prend les rênes.

— Ciao, les commères ! lance-t-il au groupe. On se revoit là-haut ! Hue !

Le cheval de l'animalter s'élance à toute allure sur le chemin étroit et tortueux qui mène à l'Elvidnir.

— Saleté de chat ! grogne Geri en se relevant.

Jenesek s'empresse de lui tendre la main.

— Monte avec moi, dit-il au doberman.

Geri n'a pas d'autre choix que d'accepter. Il s'accroche solidement au bras de Jenesek et, d'un bond, parvient à se hisser sur la monture.

— Je déteste cet idiot de chat, maugrée Geri, une fois bien installé derrière Jenesek. Et ça m'embête de l'avouer, mais il n'a pas tort. C'est le moment de passer à l'action. Sinon, toute cette aventure n'aura servi à rien.

Ael et Jason acquiescent d'un signe de tête, tout comme les elfes. Elleira et Jenesek semblent d'accord eux aussi. Seul Noah reste de marbre. Dans le plus grand silence – une façon pour eux de donner raison à Brutal et d'admettre que le temps n'est plus aux bavardages –, les cavaliers talonnent leurs montures pour les presser d'avancer. Rapidement, les chevaux passent du trot au galop et s'engagent avec fougue sur le chemin de l'Elvidnir.

Au bout de quelques minutes, ils atteignent enfin les remparts de glace du palais. Brutal, pour sa part, a déjà traversé la passerelle franchissant les douves, ainsi que le pont-levis. Ce dernier, fort heureusement, est abaissé.

— On nous facilite encore la tâche, apparemment, fait remarquer Jenesek en immobilisant sa monture devant la passerelle pour laisser passer les autres.

— Pas si vite, répond Brutal. La porte est fermée et verrouillée. À moins de l'ouvrir de l'intérieur, je ne vois pas comment on entrera dans le palais.

Brutal aperçoit soudain Geri, qui partage le même cheval que le grand alter.

— Désolé pour la poussée, vieux, lui dit-il. Mais il fallait que quelqu'un s'occupe de faire bouger les choses, tu comprends?

— Je vais m'occuper de te faire bouger quelque chose, moi, tu vas voir!

Brutal éclate de rire.

— C'est comme ça que je t'aime, le caniche : en colère !

C'est à cet instant que résonne un puissant bruit métallique qui fait sursauter Brutal sur son cheval. La pauvre monture pousse même un hennissement de surprise. Un autre bruit se fait entendre, identique au premier. Il est si fort qu'il fait trembler le pont-levis. Impossible à Brutal de s'y méprendre : ces sons proviennent de derrière la porte.

— Ils tirent les verrous, explique Elleira. La porte s'ouvrira bientôt. Je ne resterais pas là si j'étais toi, conseille-t-elle à Brutal.

Soudain, la lourde porte se met à vibrer, puis se soulève de terre, libérant un espace d'environ une trentaine de centimètres entre elle et le sol. Elle s'élève grâce à un système de poulies, à en juger par les grincements répétitifs qui se font entendre de l'autre côté des remparts. La porte poursuit sa montée par à-coups, jusqu'à ce que l'ouverture permette à un homme et à son cheval de pénétrer dans le palais.

— C'est maintenant ou jamais ! lance Brutal.

Elleira conseille à Brutal d'attendre un peu, mais l'animalter ne l'écoute pas : il talonne son cheval et le fait entrer dans le palais. Ael et les elfes ne tergiversent pas davantage et franchissent la porte avec autant de témérité. Agacés par leur impatience, Elleira et Jenesek s'empressent tout de même de les suivre à l'intérieur. Au galop, les cavaliers et leurs montures passent devant le corps de garde principal, puis accèdent enfin à la cour intérieure. La voie est encore libre. Toujours aucune sentinelle, et pas le moindre soldat alter.

Toutefois, à l'autre extrémité de l'enceinte s'élève l'imposante silhouette de la déesse Hel. La géante semble tenir quelque chose dans sa main. On dirait… une jeune fille.

— C'est Arielle ! murmure Brutal pour les autres derrière lui.

Arielle est suspendue au-dessus du sol, toujours prisonnière de la solide poigne de Hel. La déesse tient la jeune élue à bonne hauteur, si près d'elle qu'elle arrive à la fixer droit dans les yeux.

— Tu arrives trop tard, de toute manière, explique Hel. Tout est déjà terminé, comme pour le beau capitaine Razan !

Dans le coin sud, tout près de la tour d'angle, Brutal et ses compagnons aperçoivent le corps inerte de Razan. Du sang s'écoule de son nez et de sa bouche, et son visage est couvert d'ecchymoses.

Il a reçu un sale coup, songe Brutal.

— Razan vivra ! s'écrie soudain Arielle tout en se débattant.

— J'ai bien peur de te décevoir, ma chérie, lui répond Hel. À moins que la cavalerie ne débarque, ton amoureux ne s'en sortira pas vivant, parole de déesse. Pour lui… c'est la fin.

Brutal se tourne vers ses compagnons. Ses traits félins ont pris un air satisfait, en plus d'être illuminés par un large sourire qui dévoile ses petites dents pointues. Geri connaît cet air et redoute le pire.

— La cavalerie ? fait Brutal. Mais c'est nous, ça !

10

Brutal dégaine son épée fantôme,
espérant être imité par les autres,
et se prépare à charger
en direction de la déesse.

— Vous êtes avec moi ? demande l'animalter, heureux d'avoir enfin retrouvé sa maîtresse.

Brutal ne s'en doute pas, mais les choses sont sur le point de se compliquer pour lui et pour le reste du groupe. Une mauvaise surprise les attend tous. Tous, sauf un, ou plutôt « une ». Elleira est la suivante à dégainer son épée. Contre toute attente, elle dirige son arme vers Jenesek et utilise la lame incandescente pour trancher le bras droit de son compagnon, celui avec lequel il manie habituellement l'épée. Jenesek pousse un cri de douleur, ce qui a pour effet de signaler leur présence à Hel. Mais Elleira ne s'arrête pas là : elle se sert de nouveau de son épée fantôme pour couper net la tête du grand alter. Cette fois, aucun cri, aucune plainte de la part de Jenesek. Son corps décapité bascule mollement vers l'avant et tombe du cheval qui le portait.

— Oh! bon sang…, souffle Geri, qui se retrouve seul sur son cheval.

Agissant par réflexe, le doberman a levé les bras quand la lame d'Elleira a étêté son subalterne, mais il est maintenant incapable de les abaisser.

— Mais… mais qu'est-ce qui lui a pris? fait Jason, sidéré.

— Elle est folle…, déclare l'un des elfes.

— Ou possédée par un démon, renchérit l'autre.

Noah, qui partage la même monture qu'Elleira, se trouve aux premières loges, mais demeure lent à réagir. Son regard ne peut se détacher du corps ensanglanté de Jenesek. Jamais il n'aurait cru Elleira capable d'une telle atrocité.

— Désolée, mon bel amour, déclare la jeune alter comme si elle avait lu dans les pensées de son compagnon, mais j'agis selon un plan beaucoup plus grand que le tien. Beaucoup plus grand que celui d'Arielle et de tous les autres…

— Je sais maintenant pourquoi tu disais que la venue de Razan était annoncée, dit Noah. C'est Hel qui t'a prévenue, n'est-ce pas?

— Hel est la fille de mon maître et seigneur, répond Elleira. Je lui dois fidélité et obéissance. Maîtresse! s'écrie-t-elle ensuite à l'attention de Hel. Voici les protecteurs d'Arielle Queen. Je te les livre, tel que tu l'as exigé!

Hel se retourne et salue les nouveaux arrivants de sa voix funèbre:

— Bienvenue en enfer! leur dit-elle en riant. C'est ici que tout se termine, mes amis!

— Je le savais! s'écrie Ael. Elleira, sale petite garce, tu nous as trahis!

— Je ne vous ai pas trahis, réplique Elleira en toute sincérité, je vous ai conduits vers la lumière, vers la seule rédemption possible. Loki est notre maître à tous. Agenouillez-vous et demandez-lui pardon. Peut-être alors serez-vous épargnés…

— Jenesek, lui, n'a pas eu la chance de demander quoi que ce soit, intervient Geri.

— Jenesek était un alter renégat, membre du Clair-obscur, explique Elleira. C'était… un ennemi.

— Et toi? rétorque Jason. N'es-tu pas Hati, la mystérieuse dirigeante du Clair-obscur?

Elleira fait non de la tête. Elle paraît troublée.

— Oui… enfin, non. Je… je me suis jointe aux rangs du Clair-obscur et en suis devenue la chef à la demande de Loki.

— Depuis quand es-tu au service des forces de l'ombre? demande Jason.

— Mais… depuis toujours.

Noah se décide enfin à agir. Il passe ses bras autour d'Elleira et tente de l'immobiliser, tout en essayant de lui faire lâcher son arme. Les efforts du jeune homme sont inutiles; la jeune alter est beaucoup plus forte que lui. Lorsque Elleira parvient à se libérer, elle assène un solide coup de coude au visage de Noah, ce qui fait chuter le garçon et l'envoie rouler au sol. C'est à ce moment que les elfes jumeaux dégainent leurs épées fantômes et que Jason retire ses marteaux mjölnirs de leurs étuis, pour ensuite les faire tourner habilement dans ses mains. Ael n'est pas en reste et invoque sa lance de glace :

— *Nasci Lorca !* s'écrie-t-elle, espérant s'en servir pour transpercer Elleira de part en part.

Du coin de l'œil, Brutal aperçoit Hel qui observe le spectacle d'un air amusé. Elle retient toujours Arielle et ne semble pas vouloir la libérer de sitôt. Brutal se trouve confronté à un dilemme : doit-il attaquer la déesse ou rester avec les autres pour neutraliser Elleira ? *Tu dois sauver Arielle,* se dit-il. *En tant qu'animalter, le sort de ta maîtresse doit demeurer ton unique priorité.*

— Geri ! Avec moi ! lance-t-il en direction du doberman.

Ael, Jason et les deux elfes sauront très bien se débrouiller sans Geri et lui. À eux quatre, ils se chargeront d'Elleira sans aucun problème. Après tout, Ael n'est-elle pas une guerrière walkyrie ? Selon ce qu'il en sait, la puissance des Walkyries dépasse de beaucoup celle des simples alters. Dès qu'il a compris ce que Brutal a en tête, Geri abandonne sa position de passager et se met bien en selle sur sa monture, là où Jenesek prenait place il y a une minute à peine.

— Allez ! hue, cocotte ! s'écrie-t-il à l'attention du cheval.

Ce dernier réagit immédiatement et file à toute allure vers l'endroit où se trouve Brutal. Aussitôt que Geri et son cheval parviennent à sa hauteur, Brutal ordonne à sa propre monture de prendre le galop. L'animalter félin sait que le moment est mal choisi pour un fou rire, mais il est incapable de le réprimer.

— Tu as bien dit « Hue, Cocotte » ? demande-t-il au doberman. Tu crois vraiment que ce pauvre Jenesek a nommé son cheval Cocotte ?

Geri ne comprend pas où Brutal veut en venir.

— Hein ? Quoi ? Mais de quoi tu parles !? « Hue, cocotte », c'est une simple expression, idiot !

— Tu en es sûr ?

— Ah ! Ferme-la, le minet, tu m'énerves !

Épées bien en main, les deux animalters foncent ensemble vers la grande déesse. Cette dernière vient à leur rencontre. Elle a presque atteint le centre de la cour intérieure lorsqu'eux-mêmes y arrivent.

— Elle sait qu'on vient pour elle, cette espèce de grande mégère ! grogne Geri.

— Tiens ! Si ce n'est pas Geri le Glouton accompagné du brave Silver Dalton ! déclare Hel alors que les deux animalters sont presque sur elle.

Silver Dalton, réfléchit Brutal. *Jamais entendu parler de ce mec.*

— Tu te trompes de personne, démon ! rétorque Brutal en talonnant une dernière fois sa monture afin de lui faire parcourir les derniers mètres le plus rapidement possible. Je suis Brutal, le fidèle animalter d'Arielle Queen !

Cette réponse fait sourire la déesse :

— Alors, tu ne te souviens pas ?…

Grâce à son bras libre, Arielle parvient à se hisser jusqu'à la main de Hel, celle que la déesse utilise pour la garder captive, suspendue au-dessus du sol.

Une fois qu'elle s'en est suffisamment rapprochée, Arielle ouvre la bouche et mord à pleines dents dans la chair pâle et froide de Hel. La déesse se tourne alors vers la jeune fille, davantage sous le coup de la surprise qu'à cause d'une réelle souffrance. Apparemment, elle n'a rien senti de la morsure, au grand désespoir d'Arielle.

— Depuis quand les dieux ressentent-il la douleur ? demande Hel à la jeune élue. Ne te fatigue pas, ma chérie. Encore heureux que tu ne te sois pas brisé les dents sur ma tendre chair. Sans tes jolies incisives, Razan te trouverait beaucoup moins mignonne, non ?

— Brutal, ne t'approche pas d'elle ! crie soudain Arielle à l'animalter.

Mais il est trop tard. Brutal et Geri ont atteint le centre de l'enceinte, tout comme Hel et sa prisonnière. Les deux animalters brandissent alors leurs épées fantômes et sont sur le point de les abattre ensemble sur la grande déesse lorsque celle-ci effectue une manœuvre inattendue : elle agrippe Arielle par la taille et la projette violemment contre les deux cavaliers. Pris au dépourvu, Brutal et Geri n'ont d'autre choix que de laisser tomber leurs armes. Ils réussissent à attraper Arielle au vol, mais l'impact est si fort que les animalters sont éjectés de leurs chevaux. Ils s'écrasent lourdement sur le sol, Arielle entre les bras. Brutal et Geri sont à présent désarmés et sans montures, mais au moins, ils ont réussi à éviter un atterrissage mortel à leur jeune protégée.

Hel n'éprouve aucune gêne à se moquer de leur situation, bien au contraire. Entre deux éclats de rire, elle jette néanmoins un coup d'œil en direction d'Elleira et constate que sa servante est en fâcheuse position : si la tendance se maintient, la jeune alter sera bientôt vaincue par Jason et Ael. Hel décide donc de s'ingérer dans le combat. Plutôt que de leur envoyer une puissante bourrasque grâce à son souffle — comme elle l'a fait avec Arielle —, la souveraine de l'Helheim choisit de tendre la main, paume ouverte, et de prendre une grande inspiration. L'effet est si puissant que la déesse parvient à attirer à elle toutes les armes dont se servent les combattants. En l'espace d'une seconde, épées fantômes, lance de glace et marteaux mjölnirs sont arrachés aux mains de leur propriétaire. Ael, Jason, Elleira ainsi que les deux elfes de lumière se retrouvent désarmés. Tout ce qui ressemble à une arme, y compris celles qui sont inutilisées, comme l'épée de Razan et celles des deux animalters, se retrouvent dans la main de Hel. D'un geste impassible, presque insouciant, Hel expédie les armes dans un coin désert et éloigné de la cour intérieure. En tombant sur le sol, la lance d'Ael se brise, tandis qu'épées et marteaux produisent un grand fracas métallique. La vision de cet amas d'armes entremêlées laisse un goût amer dans la bouche d'Arielle et de ses compagnons. Seule Elleira semble se réjouir de cette saisie en règle.

— Et maintenant, qu'allez-vous faire ? s'enquiert Hel sur un ton de défi.

Brutal et Geri se relèvent péniblement. Arielle se remet elle aussi sur ses jambes et, après avoir remercié les deux animalters de l'avoir sauvée, elle accourt en direction de la tour d'angle, là où gît Razan. Elle s'agenouille auprès de son compagnon et s'empresse d'évaluer la gravité de ses blessures.

— Razan, est-ce que ça va? lui demande-t-elle en examinant sa tête et son cou.

Le garçon ne réagit pas. Il est sérieusement blessé. Arielle tente de garder son calme, mais n'y parvient que très difficilement. Une pensée ne cesse de se répéter dans son esprit: *Et s'il ne se réveillait pas? S'il ne se réveillait plus jamais?*

— Razan, réponds-moi s'il te plaît.

« *Le dix-huitième chant est celui de l'amour,* déclare soudain la voix du dieu Tyr. *Il a résonné dans le cœur de Razan et a permis de te sauver dans la fosse, Arielle. Lorsqu'il a été entendu, ce chant a libéré les Clefs de Skuld, qui sont les six derniers chants de puissance. Le tien, le dix-neuvième, est celui d'Ehwaz, la loyauté. Il permet à tout amour et à toute amitié de survivre éternellement. Les trois chants suivants, le vingtième, le vingt-et-unième, le vingt-deuxième, appartiennent aux trois Sacrifiés. Tu ne les entendras jamais, mais leur silence t'apportera malheur et grande tristesse. Sache que le vingt-troisième chant vous redonnera l'espoir et que le vingt-quatrième, celui d'Odhal, guidera les hommes vers le sanctuaire, là où chaque question trouvera enfin sa réponse.* »

Arielle n'a aucune idée de qui sont les trois Sacrifiés et ne saisit pas tout ce que le dieu Tyr essaie de lui expliquer, mais elle décide néanmoins de lui faire confiance et de chercher en elle la présence de ce dix-neuvième chant. Dès qu'elle se détend et ouvre son esprit, la jeune fille perçoit un petit air mélodieux qui résonne à son oreille. Cela lui donne envie de se rapprocher de Razan. N'écoutant que son instinct, elle se penche vers le garçon et l'embrasse tout doucement. Arielle réalise qu'elle n'est pas la seule à entendre la musique ; lorsque Razan entrouvre la bouche pour répondre à son baiser, elle est certaine que le garçon l'entend aussi.

— Quelle est cette mélodie ? demande-t-il en ouvrant les yeux.

— Ce n'est pas une mélodie, répond Arielle avec un sourire attendri. C'est ma loyauté, celle que j'éprouve envers toi. Maintenant et pour toujours.

Soulagée de voir Razan reprendre conscience, Arielle recule et admire le visage du garçon. Il est toujours aussi beau. Quelques cicatrices s'ajouteront à celle qui barre sa joue droite, mais pas au point de l'enlaidir. *Au contraire,* songe Arielle, *ça le rendra encore plus séduisant.*

— Je suis heureuse que tu sois vivant.

Razan fait un rapide tour d'horizon avant d'acquiescer :

— Ouais, moi aussi, princesse, répond le garçon. Mais pour combien de temps encore ? Je dois me montrer prudent ; si je crève ici, dans l'Helheim, ce sera *sayonara* pour toujours, Tom Razan !

Arielle lui sourit.

— Tu ne mourras pas ici, l'assure-t-elle.

— Ça reste à voir. Alors, on est encore dans la merde ?

Elle fait oui de la tête.

— Plus que tout à l'heure ?

Un second hochement de tête.

— J'en ai marre, soupire Razan.

Arielle lui bloquant la vue, Razan ne peut voir ce qui se passe dans la cour intérieure. Il s'écarte donc légèrement de la jeune fille et aperçoit immédiatement les animalters et, plus loin, Ael, Jason et Noah.

— Je vois que toute la bande est réunie... Charmant. Où est mon épée?

— Confisquée.

— Quoi? Par qui?

— Devine.

Arielle réalise à cet instant qu'elle porte toujours son bracelet d'argent. Hel est parvenue à leur enlever toutes leurs armes, à part ce bracelet. Arielle est donc la seule, avec Ael peut-être, à pouvoir disposer d'une arme en cas de besoin. Ça risque de leur être fort utile.

— Ça suffit, vous deux! s'écrie Hel à l'attention d'Arielle et de Razan. Assez de bavardages! Levez-vous et venez nous rejoindre ici. On a perdu assez de temps.

— Vaut mieux obéir, princesse, dit Razan. Je ne survivrai pas à une deuxième mégabaffe sur la gueule, gracieuseté de ma condition d'humain! Tu ne peux pas savoir à quel point mes pouvoirs d'alter me manquent!

— Et je vous conseille de ne pas me provoquer cette fois-ci, poursuit Hel. Je pourrais décider de m'en prendre à vos amis plutôt qu'à vous, si jamais vous osez me défier!

Razan a besoin d'aide pour se relever. Il n'est pas seulement blessé au visage, mais aussi aux bras et aux jambes. Il doit s'appuyer sur Arielle pour marcher jusqu'au centre de l'enceinte, où se trouvent déjà Brutal et Geri. Arrivé à leur hauteur, Razan salue les deux animalters d'un simple signe de tête.

— Houlà! fait Brutal en contemplant les nombreuses contusions qui marbrent la peau de Razan. Elle t'a frappé à coups de poêlon ou quoi?

— Très drôle, boule de poils.

— Il est salement amoché, renchérit Geri. Étonnant qu'il puisse parler.

— Ce qui est étonnant, Fido, c'est que tu arrives à pisser debout sans même lever la patte.

Geri pousse un grognement et montre les crocs.

— Espèce de…

— Du calme, les mortels! ordonne Hel du haut de ses trois mètres.

En un seul pas, la déesse franchit la distance qui la sépare d'Arielle et de ses trois compagnons. D'un signe autoritaire, Hel commande ensuite à Ael, Jason, Elleira, Noah, Ivaldo et Leandrel de venir les rejoindre au centre de la cour intérieure. Elleira est la première à s'avancer, heureuse d'échapper à ses assaillants, et se dépêche de prendre position à la droite de sa maîtresse. Après avoir échangé des regards hésitants avec Jason et Noah, Ael décide finalement d'obtempérer, à la grande surprise des deux garçons.

— Ael, mais qu'est-ce que tu fais? lui demande Jason.

— Hel est une déesse, répond Ael. Tu as vu ce qu'elle a fait avec nos armes? Et comment elle a arrangé le portrait de Razan? Ce n'étaient que des avant-goûts. Elle est capable d'encore bien pire. Viens avec moi, Jason. J'ai envie que tu vives.

— Je n'y crois pas! Tu te rends? s'insurge Noah. Aussi facilement?

— Pour l'instant, c'est ce qu'il y a de plus sage à faire.

Ce n'est pas dans les habitudes d'Ael de s'avouer vaincue, mais il y a très peu de choses qu'on puisse faire pour attenter à la vie d'un dieu. Elle sait qu'il existe des moyens de blesser sérieusement certaines divinités, et même de les tuer, elle l'a étudié au cours de ses années d'apprentissage pour devenir Walkyrie. Mais ses maîtres, eux-mêmes des demi-dieux, se sont bien gardés de lui enseigner ces techniques secrètes. Si on ne les maîtrise pas parfaitement, s'attaquer à un dieu relève alors du suicide.

Jason et Noah, ainsi qu'Idalvo et Leandrel, les elfes jumeaux, lui emboîtent donc le pas, et tous les cinq se joignent rapidement au groupe déjà formé par Arielle, Razan, Geri et Brutal. Vu sa grande taille, Hel domine tous ceux qui sont présents. On la dirait entourée de nains. Arielle, pour sa part, est incapable de détacher son regard de la jeune fille qui se tient tout près de la déesse. Elle est vêtue comme les alters, mais n'a pas leur taille ni leur beauté. Elle est plutôt petite, rousse et boulotte… *Mais… c'est moi!* réalise soudain Arielle.

— Je suis heureuse de te revoir, Arielle, lui dit la petite rousse. Tu ne sais pas qui je suis? C'est moi, Elleira.

Arielle en reste bouche bée. Est-ce possible que ce soit réellement Elleira, son ancienne alter?

— Je… je croyais ne jamais te revoir…

La jeune fille esquisse un sourire.

— Eh bien, nous voilà de nouveau réunies!

— Mais que fais-tu dans mon… ancien corps? lui demande Arielle, encore sous le choc.

Elleira hausse les épaules, puis répond:

— Manque de choix: c'était le seul disponible.

Hel, impatiente, coupe court à leurs retrouvailles.

— Passons aux choses sérieuses, déclare la déesse sur un ton grave. Je suis heureuse que vous preniez exemple sur votre amie Ael, la jeune Walkyrie. Elle est la plus brillante d'entre vous, à ce que je vois. Elle a compris que toute résistance était… futile.

— Cette ligne, elle l'a piquée dans *Star Trek*, murmure Brutal pour Geri.

— En d'autres mots, continue Hel, vous ne pouvez pas me résister, ni même me vaincre. Ici, dans l'Helheim, ma puissance est absolue. Un seul claquement de doigts de ma part et vous vous transformerez tous en vers de terre!

— Je préfère les chenilles, dit Brutal. Je pourrais être changé en chenille?

— La ferme, boule de poils! fait aussitôt Razan, en colère.

— Ou en ver à soie, à la limite…

Hel ne s'occupe pas d'eux et poursuit :

— Dans tout l'univers connu, vous êtes les seuls qui menaciez réellement le règne à venir de Loki. Je suis donc très heureuse de vous avoir ici, auprès de moi. En fait, c'est ce que j'espérais : que vous veniez tous me retrouver, afin que nous puissions enfin conclure nos affaires. J'ai même éliminé tout obstacle qui aurait pu ralentir votre route. Modgud et Garm avaient fait leur temps. Je les ai… « euthanasiés », pourrait-on dire. Quant aux vautours de la rivière Gjol, je les ai servis en barbecue à Sidero et à ses troupes, avant leur départ pour Midgard. Les autres maquisards du Clair-obscur auraient pu vous dissuader de venir ici, alors je les ai tous supprimés. À part Jenesek, en qui vous aviez une confiance totale. Mais Elleira s'est finalement occupée de lui, comme c'était prévu.

Arielle fait un pas en direction de la déesse. Razan essaie de l'en empêcher, mais la jeune fille s'arrache à sa poigne.

— Si vous êtes aussi puissante que vous le dites, lance la jeune fille, pourquoi ne pas avoir éliminé les maquisards avant aujourd'hui ? Et pourquoi nous avoir laissés quitter l'Helheim lors de notre dernière visite ? Vous auriez pu nous arrêter ce jour-là, non ?

La déesse éclate de rire.

— Mais nous voulions que tu retournes à Midgard, Arielle ! Pourquoi crois-tu qu'il vous a été si facile de vous échapper ? Tu crois vraiment que Hraesvelg était de mèche avec Jenesek et ses maquisards ? Pauvre idiote ! Si l'aigle vous a sortis d'ici, c'est parce que Loki lui en avait donné l'ordre. Notre père a prédit beaucoup de choses, mais il n'a jamais pu prévoir que Saddington et Mastermyr assassineraient Noah Davidoff, et surtout pas que tu viendrais le secourir dans le royaume des morts. Il était prévu que tes compagnons et toi veniez un jour dans l'Helheim, c'est vrai, mais pas ce jour-là ; il était encore trop tôt. Loki a alors décidé de te renvoyer sur la Terre.

Arielle se souvient qu'au retour de l'Helheim, chez l'oncle Sim, elle a discuté du sujet avec Noah : « Je ne l'ai dit à personne, avait-elle déclaré, mais je crois que Loki nous a laissés partir. »

— Pourquoi était-il trop tôt ? demande Arielle.

— Parce que tu n'étais pas encore… amoureuse, répond la déesse.

Amoureuse ? songe Arielle, perplexe. *Mais qu'est-ce que ma vie sentimentale vient faire là-dedans ?* La jeune fille se tourne alors en direction de Noah. Le garçon l'observe fixement, sans rien dire. Arielle parvient à reconnaître la tristesse dans son regard, et ce, même si ses traits sont à présent ceux de Thornando. Elle baisse alors les yeux, honteuse. Honteuse d'avoir choisi Razan plutôt que Noah. En réalité, elle n'a rien choisi du tout. Ses sentiments envers Razan ne sont pas le fruit du raisonnement. Elle l'aime avec son cœur, et c'est tout. Il occupe toutes ses pensées, sans qu'elle puisse expliquer pourquoi. Lorsqu'elle se trouve près du garçon, elle n'a qu'une envie : se serrer contre lui et l'embrasser.

Elle désire ce jeune homme à un point tel que cela en devient parfois dangereux. Et plus les minutes et les heures avancent, plus son amour pour Razan s'accroît et se fortifie.

Lorsqu'elle relève les yeux, ce n'est pas Noah qu'elle cherche du regard, mais bien Razan. Le garçon se trouve toujours derrière elle. Il est toujours en colère qu'elle ait pris le risque de s'adresser à la déesse, mais au bout d'une seconde, ses traits crispés se détendent et il lui adresse un clin d'œil complice. Cela suffit à réchauffer le cœur de la jeune fille et à lui redonner du courage.

— Que je sois amoureuse ou non, qu'est-ce que ça peut bien changer pour vous ?

La déesse lui sourit, puis poursuit ses explications :

— Lorsque Odin permit à Loki de se servir des alters pour anéantir les elfes noirs, il exigea de lui qu'il trouve un moyen de les neutraliser en cas de rébellion. Loki créa donc les médaillons demi-lunes. Une fois réunis, ces médaillons devaient exterminer tous les alters présents dans le royaume de Midgard. Odin fit aussi promettre à Loki que les pendentifs seraient réunis dès que la victoire des alters serait confirmée. Loki accepta et proposa de confier les précieux médaillons à ses adorateurs, les seuls en qui il avait vraiment confiance. Mais Thor, le fils d'Odin, n'a jamais fait confiance à son oncle. Il aurait plutôt souhaité que les médaillons soient confiés à des parties neutres, et non aux disciples de Loki. Thor regroupa donc les meilleurs guerriers humains et choisit parmi eux Ulf Thorvald pour créer la fraternité de Mjölnir. En l'an 1150, à la demande de Thor, Thorvald et ses hommes volèrent les demi-lunes aux adorateurs de Loki. Furieux de l'impudence de son neveu, Loki sollicita une audience auprès d'Odin afin d'exiger réparation. Dans l'espoir d'éviter de futurs conflits, il fut décidé que deux lignées d'élus seraient créées. Ces deux lignées auraient un seul et même destin : celui de réunir les médaillons demi-lunes le jour où les elfes seraient vaincus. Thor accepta l'entente, mais exigea en contrepartie que les deux lignées soient protégées par ses guerriers humains, les cénobites de la fraternité de Mjölnir. La lignée des Queen fut donc engendrée par Erik Thorvaldsson, dit Erik le Rouge, tandis que la lignée des Davidoff fut confiée à Riourik, le premier prince de Novgorod.

— Alors, Loki n'est pas le père des élues Queen ? intervient Razan avec espoir.

— Désolée de vous décevoir, capitaine Razan, mais Loki n'était pas d'accord avec cette façon de procéder. Il souhaitait contrôler l'une des deux lignées, au cas où un imprévu surgirait. Une forme d'assurance, si vous voulez. C'est pourquoi il a rapidement écarté Erik Thorvaldsson et a engendré lui-même les dix-neuf élues Queen.

— Incroyable…, fait Brutal. Arielle, si tu es bien la fille de Loki, alors ça signifie que tu es aussi… la sœur de la grande mégère ?

— Fous-lui la paix, intervient Razan. Ce n'est pas le moment !

— Loki ne laisse jamais rien au hasard, reprend la déesse. Grâce à sa ténacité, il a été convenu que, chacun à son époque, les membres des deux lignées tomberaient amoureux l'un de l'autre. Selon mon père, cet amour leur permettrait non seulement de se reconnaître sur la Terre, mais aussi de former une meilleure équipe, plus loyale et plus forte. En vérité, les motivations de Loki étaient tout autres, mais il évita de le mentionner à son frère et à son neveu. Odin l'appuya, mais ajouta qu'il faudrait à tout prix empêcher les deux élus de s'unir l'un à l'autre. Cette union risquait d'engendrer une descendance commune, faisant ainsi disparaître les deux lignées pour n'en créer qu'une seule. La solution qui fut trouvée était fort simple : afin d'éviter tout risque d'accouplement, l'un des deux élus devait disparaître. Odin proposa d'aliéner les créatures de la lignée Davidoff, et éventuellement de les utiliser comme sbires ou comme hommes de main. Si les deux élus ne parvenaient pas à réunir les médaillons à leur époque, l'élu Davidoff serait alors chargé d'assassiner sa contrepartie Queen. Mais avant de la tuer, il devrait attendre que la jeune femme ait donné naissance à un enfant, fruit de sa relation avec un autre homme ; ce serait le seul moyen de se débarrasser de l'élue Queen, en même temps que d'assurer la survivance de sa lignée.

L'élu Davidoff ? songe Arielle. *Chargé d'assassiner sa contrepartie Queen ?*

— Intéressant, observe la jeune fille en jetant un coup d'œil à Noah. Mais ça n'explique pas pourquoi il est si important que je sois amoureuse.

182

— Patience, petite sœur, répond Hel. J'y viens. Ce que Thor et Odin ont toujours ignoré, c'est que Loki n'avait qu'une seule chose en tête : s'incarner sur la Terre afin d'y retrouver Angerboda et ses deux fils, exilés là-bas par Sigyn. Depuis plusieurs millénaires, il était interdit à notre père de visiter Midgard, donc de rechercher sa maîtresse et ses deux fils. C'est pour cette raison qu'il fit appel aux elfes noirs au tout début. Il ne les expédia pas sur la Terre pour faire la guerre aux humains, comme tout le monde le croyait, mais bien pour retrouver la trace d'Angerboda. Lorsque Odin lui demanda de forger les demi-lunes, Loki accepta. Il créa les médaillons, mais plutôt que d'expédier ceux-ci à Midgard, comme l'exigeait Odin, il en envoya plutôt des répliques qu'il avait forgées à partir de pierres magiques volées au géant Bergelmir. Ces pierres sont appelées les « pierres de Skol », en référence au loup du même nom qui poursuit le soleil pour le dévorer. On les surnomme aussi les pierres de la Lune noire, car, une fois ces reproductions réunies, le soleil de Midgard disparaîtra et sera remplacé par une lune noire qui plongera l'humanité dans l'obscurité la plus totale.

Une éclipse, songe Arielle. *Ces maudites pierres de Skol provoqueront une éclipse.* C'est alors qu'un des souvenirs de la jeune fille remonte à la surface. Elle ne sait plus si elle a rêvé cette scène ou si elle s'est réellement déroulée. Elle se revoit dans les cachots du manoir Bombyx, en compagnie de Brutal et Razan. Salvana, l'oracle du voïvode Lothar, essaie de lui prendre son médaillon à travers les barreaux de sa cellule. Mais Arielle n'est plus vraiment elle-même. Elle est sous l'emprise d'une force étrange qui l'a plongée dans une colère terrible, presque sauvage. Lorsque Salvana pose une main sur son médaillon, Arielle agrippe la femme par le cou et l'expédie dans le couloir. La jeune fille se souvient que Lothar s'est ensuite approché du corps de son oracle et a examiné la main que la femme avait tendue pour saisir la demi-lune. La paume de l'oracle portait une brûlure circulaire, que Lothar s'est empressé de décrire comme « la marque de la Lune noire ». Arielle se rappelle avoir vu de la peur dans le regard du grand elfe. Il s'est vite éloigné du cadavre de Salvana et a quitté les cachots avec le même empressement.

— Une fois les pierres réunies et le soleil disparu, continue Hel, Loki pourra enfin s'incarner sur la Terre, dans un corps assez résistant pour accueillir sa divine personne. Mais les pierres de Skol sont frappées d'un puissant sortilège : pour permettre le passage d'un dieu sur la Terre, elles doivent obligatoirement être réunies par deux êtres de nature opposée : un humain et un démon. De plus, tous deux doivent être amoureux l'un de l'autre. Voilà pourquoi il fallait attendre que tu sois amoureuse, Arielle. À chaque génération d'élus, Loki espérait que son plan fonctionne, que les elfes soient éliminés et que les élus unissent enfin les médaillons de Skol. Mais ce jour n'est arrivé que tout récemment, lorsque Razan et toi avez cru réunir les demi-lunes.

Brutal, fort surpris, se tourne vers sa maîtresse :

— Si je comprends bien, tu es amoureuse de cet idiot de Razan ?!

Arielle accorde un regard à son animalter, puis reporte ses yeux sur la déesse.

— Loki est sur la Terre en ce moment même ? demande-t-elle, ce qui lui permet d'éluder la question de Brutal.

L'inquiétude se lit sur le visage de l'adolescente ainsi que sur celui de ses compagnons.

— Il s'est incarné dans le royaume des vivants peu après votre départ de la fosse, répond Hel. Là-bas, il a rejoint sa maîtresse, Angerboda, ainsi que ses deux fils, Fenrir et Jörmungand-Shokk.

— Quels sont leurs projets ? demande Arielle.

— Mais tu les connais déjà, petite sœur, répond Hel. En réunissant les médaillons de Skol, vous n'avez pas seulement permis à Loki de quitter l'Helheim à destination de la Terre. Vous avez aussi ouvert un passage à tous nos soldats alters. Grâce au général Sidero et à ses troupes, Loki aura tôt fait de réduire l'humanité en esclavage. Il divisera ensuite les continents en dix-neuf territoires qui seront dirigés par les dix-neuf sœurs reines, dont tu fais partie, Arielle.

— Je ne dirigerai jamais l'un de ces territoires pour le compte de Loki ! s'écrie Arielle.

— Mais si, tu le feras, réplique la déesse, toujours en s'adressant uniquement à Arielle, comme si les autres n'existaient pas. Tu le feras parce que, bientôt, tu ne pourras plus renier ta véritable nature. Tu es l'une des nôtres, Arielle, et c'est ce qui sauvera ta vie aujourd'hui. À présent, l'Helheim est un royaume abandonné. Il n'y a plus que nous, en vérité. Sidero et ses soldats alters ont rejoint Loki sur la Terre, et les maquisards ont tous été traqués, puis éliminés, tout comme les elfes noirs qui nous résistaient encore. Modgud et Garm ne sont plus, et Hraesvelg abandonnera bientôt son nid ici pour aller le refaire dans le Niflheim. Tu es la seule, Arielle, qui quitteras cet endroit avec moi. C'est d'ailleurs ce que j'hésitais à annoncer à tes amis, ajoute-t-elle en orientant son regard vers les compagnons d'Arielle.

La géante les observe avec dédain et mépris, comme s'ils n'étaient que de vulgaires insectes qu'elle s'apprête à exterminer.

— Pour vous, c'est malheureusement terminé, leur dit-elle. Me débarrasser de vos insignifiantes petites personnes est la dernière tâche qu'il me reste à accomplir avant de quitter l'Helheim en compagnie d'Arielle, afin que nous puissions rejoindre notre père et nos frères dans le royaume des vivants.

— Vous êtes sérieuse ? fait Razan. Et vous croyez qu'on va gentiment se laisser faire ?

Hel répond par un haussement d'épaules, comme si cela ne lui importait guère.

— Que vous résistiez ou non, je vous détruirai, affirme-t-elle.

11

Non, ça ne peut pas se terminer comme ça. La jeune élue ne peut se résoudre à laisser Hel s'en prendre à ses compagnons.

Arielle doit trouver un moyen d'empêcher la déesse d'agir ou, à tout le moins, de gagner du temps.

— Et que faites-vous des décédés? demande alors la jeune fille à Hel. Leurs âmes sont-elles toujours prisonnières du Galarif?

— Oui, et c'est ici qu'elles finiront leurs jours, lui révèle la déesse. Elles demeureront prisonnières dans mes cachots jusqu'à ce que l'Helheim soit anéanti. Oubliez la libération des âmes et leur voyage vers le Walhalla. Une fois que j'aurai quitté l'Helheim, le royaume sera entièrement détruit. Privé de mon aura omnipotente, il disparaîtra à jamais. Le nombre de royaumes dans l'univers passera alors de neuf à huit. Dorénavant, lorsque des décès surviendront sur la Terre, les âmes des morts iront se dissoudre dans le grand néant éternel, sans possibilité de retour. Terminés les détours par l'Helheim. Plus personne ne pourra revenir ici pour sauver les morts, comme vous l'avez fait pour Noah Davidoff.

Il y a un court silence, puis on entend la voix d'Elleira, qui intervient pour la première fois :

— Mais, maîtresse…, dit-elle avec l'hésitation d'un valet qui craint d'importuner son maître. Vous m'aviez pourtant dit que… que je pourrais rester ici, dans l'Helheim, avec… avec Noah Davidoff. Ce n'est pas… euh… ce que vous m'aviez… promis ?

Il semble effectivement que la déesse soit ennuyée par la question, tel que le craignait Elleira.

— Nous en discuterons plus tard, répond Hel. Pour l'instant, laisse-moi m'occuper de cette vermine, ajoute-t-elle en désignant les compagnons d'Arielle.

— Vermine ? répète Brutal, visiblement offensé. On ne vous jamais appris la politesse ?

— Les dieux grecs ont beaucoup de classe, ajoute Geri. Vous devriez prendre exemple sur eux…

— Alors, Elleira, fait Razan en fixant la jeune alter droit dans les yeux, toi aussi, tu t'es fait avoir, pas vrai ? Tu crois vraiment que cette grande dinde va te laisser l'Helheim pour toi toute seule, afin que tu puisses t'y amuser avec le beau Noah ?

— Elle me l'a promis, et je sais qu'elle respectera sa promesse ! rétorque Elleira sur un ton ferme.

Il est clair que cette confiance exagérée que manifeste la jeune alter sert à compenser les doutes qui commencent à s'immiscer en elle. Razan en est conscient, et il a bien l'intention de l'utiliser contre elle et contre la déesse.

— Mais qu'est-ce qui s'est passé, Elleira? continue Razan. Je t'ai connue beaucoup moins naïve. Du temps où tu vivais avec nous à Midgard, tu étais plus... éveillée, il me semble.

— La ferme, Razan! riposte aussitôt Elleira.

Elle lève ensuite des yeux implorants vers la déesse.

— Dites-moi qu'il a tort, maîtresse. Dites-moi que vous allez respecter votre parole!

Hel observe sa servante tout en secouant la tête.

— Quelle sotte! lance soudain la déesse, puis elle se met à rire.

Elleira paraît sérieusement troublée.

— Alors... vous m'avez menti?...

Hel s'esclaffe de plus belle:

— Je suis la déesse du mal. Qu'est-ce que tu croyais?

— Mais...

— Bon, ça suffit! s'impatiente Hel.

La géante ferme le poing et frappe violemment Elleira, qui est aussitôt expédiée dans un angle de la cour. La jeune alter heurte durement les remparts de l'enceinte, puis retombe sur le sol, à l'endroit même où reposent les armes confisquées par Hel. Une fois débarrassée d'Elleira, la déesse se tourne vers Arielle et l'écarte de plusieurs mètres avant de s'avancer vers ses compagnons.

— À votre tour maintenant! leur dit-elle sur un ton menaçant.

— Non! crie Arielle.

Elle s'apprête à revenir vers ses compagnons lorsqu'elle est interrompue par la voix d'Elleira, qui lui crie quelque chose depuis l'autre extrémité de la cour:

— Une lame de glace, Arielle! s'écrie Elleira. Pour la tuer, une lame de glace doit transpercer son cœur!

Hel jette un regard assassin à Elleira, puis revient à Arielle. Pour l'instant, la déesse ne semble plus se soucier des compagnons de la jeune élue.

— Elle ment! rugit Hel. Je ne peux pas mourir!

— C'est ce qu'on va voir, répond Arielle.

La jeune fille lève son poing et invoque une fois de plus son épée magique.

— *Nasci Modi!* lance-t-elle d'une voix puissante.

En quelques secondes à peine, une grande épée de glace se matérialise dans sa main.

— *Nasci Lorca!* lance Ael à son tour.

La Walkyrie retrouve également sa lance de glace et s'empresse d'aller se poster aux côtés d'Arielle. Maintenant que l'attention de la géante est entièrement dirigée vers elles, les autres compagnons d'Arielle en profitent tous pour battre en retraite. Tous, sauf Razan qui, bien que mal en point, va tout de même rejoindre l'élue.

— Tom, ne reste pas là! lui conseille Arielle. Tu es blessé!

Étonné, Razan se tourne brusquement vers la jeune fille.

— Tu as bien dit… Tom?

L'air surpris de Razan est vite remplacé par une expression de ravissement.

— J'adore quand tu prononces mon prénom, princesse. Tu veux recommencer?

— Va retrouver les autres, le supplie Arielle. Ael et moi pouvons affronter Hel. Sans armes, tu es trop vulnérable!

— Et qu'est-ce que tu fais de mon soutien moral?

Le rire caverneux de Hel résonne alors dans toute l'enceinte.

— Que c'est mignon! s'esclaffe-t-elle puissamment. Vous me faites penser à Roméo et Juliette! Vous savez comment se termine leur histoire, n'est-ce pas? Ils…

— Ils meurent tous les deux, eh oui! complète Razan en soupirant. Une foutue surprise. Tout le monde sait ça, Hel. Par pitié, diversifiez vos répliques!

La déesse se met alors dans une colère terrible. Elle essaie tout d'abord d'attraper Razan, mais ce dernier parvient à l'esquiver de justesse. Cette brusque manœuvre tire néanmoins un cri de douleur au garçon, qui n'est évidemment pas encore remis de sa collision avec le mur de la tour. Hel tente ensuite de s'attaquer à la jeune Walkyrie, mais celle-ci est rapide. Après avoir évité le coup de la déesse, Ael réussit à se glisser derrière elle. Profitant d'une brève ouverture, la Walkyrie lève sa lance de glace et la plante de toutes ses forces dans la cuisse de son adversaire. Plutôt que de hurler de douleur, Hel éclate de rire et, d'un solide coup de pied, envoie valser Ael à plusieurs mètres de là. Celle-ci s'écrase durement sur le sol, mais, fort heureusement, sa lance de glace demeure intacte. Vient ensuite le tour d'Arielle. Son épée bien en main, la jeune élue se plante devant la géante et la défie du regard.

— Tu as du courage, petite sœur, lui dit la déesse. Mais sache que je n'ai pas l'intention de te tuer. C'est à tes amis que je veux m'en prendre. Ils doivent disparaître, tu comprends? Pour que nous puissions vivre en paix à Midgard. Alors, ôte-toi de mon chemin!

— Non, rétorque Arielle, plus confiante que jamais. La prophétie dit que...

— La prophétie est fausse! l'interrompt Hel. Elle a été écrite pour vous attirer tous ici!

Mais Arielle demeure résolue à terminer ce qu'elle a commencé.

— La prophétie dit que deux élus se rendront dans le royaume des morts avec leurs six protecteurs pour vaincre les dieux du mal et libérer les âmes prisonnières du Galarif. Il est aussi dit qu'une fois les forces du mal vaincues, les deux élus conquerront l'Helheim.

— Il n'y a plus rien à conquérir, ma pauvre, se moque la déesse. Et l'histoire des six protecteurs est une farce monumentale!

— Faux! clame alors une voix derrière la déesse.

Hel reconnaît la voix: c'est celle de Jason Thorn, le jeune fulgur. La déesse n'a pas le temps

192

de se retourner. Elle voit deux marteaux volants se croiser au-dessus d'elle. Des mjölnirs. Ces derniers la survolent une seconde fois avant de retourner dans les mains de leur propriétaire. Lorsqu'elle baisse les yeux, Hel remarque que le jeune chevalier ne se trouve plus derrière elle, mais qu'il est passé devant. Jason s'est en effet rallié à Arielle, et il n'est pas le seul. Tous les compagnons de la jeune élue, y compris Razan, ont récupéré leurs armes et se sont regroupés auprès de l'adolescente : Brutal, Geri, Idalvo, Leandrel, Noah et même Ael, qui s'est remise sur ses jambes et a rejoint le groupe.

— Nous sommes les protecteurs de la prophétie ! déclare Jason sur un ton solennel. Et nous accomplirons notre tâche, tel que l'a annoncé la prophétie d'Amon !

Les membres du groupe forment alors un cercle autour d'Arielle et de Razan. Ensemble, dans un mouvement presque théâtral, les deux élus et leurs six protecteurs lèvent leurs armes bien haut et les joignent par la pointe, au-dessus de leur tête. Seul Noah, qui n'est ni un élu ni un protecteur, demeure à l'écart.

— Un pour tous et tous pour un ! s'écrie alors Brutal, ce qui surprend tout le monde.

— Ce n'est pas la devise des trois mousquetaires, ça ? demande Geri.

— Désolé, je n'ai rien trouvé d'autre.

Razan abaisse alors son arme et, d'une façon tout à fait inattendue, invite Noah à prendre sa place dans le cercle. Lorsque ce dernier lève son arme pour la joindre à celles d'Arielle et de ses protecteurs, Razan lui murmure à l'oreille :

— Élu ou pas, c'est à toi de t'occuper de la gamine maintenant. Bientôt, je ne serai plus là.

Noah hoche la tête en silence sous les yeux interrogateurs de la jeune élue.

Hel met du temps à réagir. Au début, elle les fixe tous avec un air hésitant, puis elle finit par joindre les mains et, curieusement, se met à applaudir, lentement, pour bien marquer chaque battement de mains.

— Bravo, leur dit-elle. Je vous félicite. Vraiment impressionnant. Mais ça ne changera rien au résultat. Vous mourrez de toute façon.

Après avoir prononcé ces mots, la déesse met ses bras en croix, puis oriente ses paumes ouvertes vers le ciel.

— Elle prépare quelque chose, les prévient Razan.

La transformation débute dès que la géante ferme les yeux. Sa peau blanche s'assombrit rapidement et prend une teinte grisâtre, comme celle des statues de pierre. Ses membres, à commencer par ses bras, raccourcissent, puis se courbent de façon anormale. L'éclat de ses cheveux se fane, pendant que son visage s'étire et s'assèche comme celui d'une vieille femme. De profondes rides se creusent autour de sa bouche et de ses yeux. Ceux-ci deviennent noirs, sans vie, et s'enfoncent dans leurs orbites comme s'ils étaient aspirés de l'intérieur. Son dos s'arrondit, pareil à celui d'un bossu, et de ses omoplates surgissent deux petites ailes chétives et rabougries.

— C'est pas vrai ! lance Razan aux autres. Elle nous fait le coup de la gargouille !

La déesse a perdu tous ses cheveux, et ce qui reste de sa robe est devenu aussi terne et flétri que sa peau. Ses traits sont maintenant ceux d'un cadavre momifié. Ses oreilles et son nez se sont allongés, et sa bouche a pris l'aspect d'un bec corné de pieuvre. Sa taille est beaucoup moins imposante, mais ce qu'elle a perdu en stature, elle l'a regagné en laideur. Une laideur qui fait naître un sentiment de dégoût chez tous ceux qui l'observent. Ce n'est plus à une vieille femme rachitique ou à une momie desséchée qu'ils ont affaire à présent, mais à une créature difforme et répugnante, à une espèce de démon des temps anciens qu'il est impossible d'identifier.

Par précaution, Arielle et ses compagnons reculent tous d'un pas, sans toutefois cesser de surveiller attentivement la créature d'un œil à la fois dédaigneux et méfiant. La transformation de Hel paraît achevée, mais il est impossible de prévoir ce qu'elle fera ensuite.

— Une lame de glace dans son cœur, c'est tout ce qu'il faut ? demande Ael.

— C'est bien ce qu'a dit Elleira, confirme Arielle.

Le rire qu'émet alors Hel est aigu et nasillard, semblable à celui d'une sorcière.

— Cette beauté me donne des frissons dans le dos, laisse échapper Razan.

Ael pointe sa lance en direction de la créature, puis jette à Arielle un regard qui signifie : « J'y vais la première. Si j'échoue, ce sera à toi. » Arielle approuve discrètement d'un signe de tête. Lorsque Razan et les autres s'écartent pour laisser toute la place à Ael, Hel devine qu'il se passe quelque chose. Elle s'accroupit et se prépare à exécuter sa première attaque, mais Ael est plus rapide et projette sa lance vers l'avant avec toute la force dont elle est capable. La déesse ne fait aucun mouvement pour éviter l'arme. Avec une incroyable rapidité, elle lève plutôt une de ses petites mains racornies et l'attrape par la pointe, tout juste avant que celle-ci ne l'atteigne à la poitrine. Hel use ensuite de ses deux mains, en apparence fragiles, pour briser la lance en deux morceaux égaux, qu'elle rejette au loin en ricanant.

Leandrel et Idalvo se précipitent alors vers la créature. Ils tentent de l'atteindre aux bras, puis aux jambes, mais la déesse esquive chacun de leurs assauts. Brutal et Geri se mettent aussi de la partie et essaient de blesser Hel, mais n'y parviennent pas ; la nouvelle apparence de la déesse, bien que grossière, lui permet une plus grande agilité. Une souplesse animale, qu'aucun humain, aucun dieu ne peut posséder. À son tour, Jason Thorn se porte à l'attaque et lance ses deux marteaux mjölnirs en direction de la créature en s'écriant :

— Mjölnirs ! Boomerang !

Un seul d'entre eux parvient à atteindre Hel. Le marteau frappe la déesse à la nuque, mais ce coup n'est pas suffisant pour l'ébranler. Après avoir évité le second marteau du chevalier, la créature bondit dans les airs avec l'intention évidente de se jeter sur Arielle et de l'emprisonner sous elle. Mais au dernier moment, Razan parvient à se glisser entre l'élue et la déesse. Il réussit à éloigner la jeune fille et à prendre sa place. Lorsque la créature retombe sur le sol, c'est donc Razan qui se retrouve coincé sous elle. Furieuse de s'être ainsi fait ravir sa proie, Hel se penche sur le garçon et tente de le mordre avec son affreux bec corné. Même blessé et à bout de forces, Razan se défend avec fougue.

— Tu ne m'auras pas, saleté de démon! hurle-t-il.

Il essaie par tous les moyens de planter son épée dans le corps de la déesse, mais sa lutte pour éviter d'être mordu lui demande de grands efforts, et il n'a bientôt plus d'autre choix que d'y consacrer toute son énergie. Ayant besoin de ses deux mains pour tenir à distance le bec hostile de la créature, il se débarrasse de son épée, tout en s'assurant de la jeter au loin afin d'éviter que son adversaire ne s'en empare.

— Tiens bon, Razan! lui dit Brutal pour l'encourager.

Du coin de l'œil, Razan aperçoit les deux animalters. Ils se sont positionnés de chaque côté de la déesse, tout comme les elfes. Tous les quatre se préparent à transpercer les flancs de la créature avec leurs épées.

— JE VAIS TE TUER, CAPITAINE RAZAN! rugit Hel d'une voix gutturale.

La déesse tente à nouveau de mordre Razan, tout d'abord au cou, puis au visage.

— Des dizaines de fois, on a essayé de me tuer, rétorque le garçon tout en bougeant la tête d'un côté, puis de l'autre, pour éviter les morsures. Et tu sais quoi? Jamais personne n'y est arrivé!

Mais bon, c'est loin d'être mon jour de chance aujourd'hui, se retient d'ajouter Razan, *alors ça peut changer…*

Les assauts de la créature se multiplient et visent surtout le visage de Razan. Ce dernier n'a plus assez de force pour repousser son assaillante et la maintenir loin de lui. Brutal et les autres doivent intervenir rapidement, sinon Razan risque d'être défiguré.

— Dépêchez-vous, les gars! Cette saleté s'apprête à me picorer les yeux!

Les elfes et les animalters s'avancent ensemble et plantent leurs lames incandescentes dans le corps transformé de la déesse. Celle-ci pousse un hurlement de douleur, puis effectue un bond de plusieurs mètres, sans doute pour s'éloigner des elfes et des animalters. Razan est enfin libéré et se remet debout grâce à l'aide des animalters.

— J'ai tous mes morceaux? demande Razan.

— Tu as tous tes morceaux! confirme Brutal.

— Et ma figure?

— Rien n'a changé: toujours aussi moche!

La créature atterrit tout près d'Arielle, mais la jeune fille ne bronche pas; plus que jamais, elle est prête à affronter Hel. Elle examine les blessures de la déesse: elles sont profondes, mais commencent déjà à cicatriser.

— Je vais tuer tous tes amis! raille la créature, tandis que ses plaies continuent de se refermer sous le regard contrarié d'Arielle. Et après, tu m'emmèneras avec toi sur la Terre! C'est toi qui me conduiras là-bas, petite sœur!

— Jamais! s'écrie la jeune élue.

Les deux marteaux mjölnirs réapparaissent alors au-dessus de la déesse. Ils font un tour derrière Arielle, puis viennent frapper Hel en plein visage. La créature recule d'un pas. Cette fois, les marteaux ont réussi à l'étourdir.

— *Nasci Lorca!* s'écrie ensuite Ael, à quelques mètres de là, ce qui fait naître une nouvelle lance de glace dans sa main.

Sans perdre de temps, la Walkyrie se précipite vers la créature et, d'un mouvement vif et souple, réussit à lui enfoncer sa lance dans le haut du dos. La pointe traverse le corps de la déesse et ressort par l'épaule, mais ne réussit pas à toucher le cœur. C'est alors que Brutal et Geri surgissent de nouveau de chaque côté de Hel. En combinant leurs assauts, ils arrivent à priver la créature de ses deux bras. Les animalters s'écartent ensuite pour laisser la place aux elfes jumeaux. Habilement, presque avec grâce, Leandrel et Idalvo roulent sur le sol et parviennent ensemble à trancher les deux jambes de la déesse. Hel pousse alors un gémissement d'animal blessé, puis bascule vers l'arrière et tombe sur le dos. Arielle ne peut avoir de meilleure chance: elle lève son épée au-dessus d'elle et, sans la moindre hésitation, sans le moindre sourcillement, enfonce profondément sa lame de glace dans la poitrine de la créature. La lame de glace transperce la déesse, déchirant son cœur au passage. Ses plaintes stridentes cessent alors. Elle fixe ses yeux sur ceux d'Arielle. Les deux femmes s'observent en silence pendant quelques secondes. Arielle croit discerner de la tristesse dans le regard de Hel, mais comprend bien vite qu'elle se trompe. L'air affligé de la déesse est vite remplacé par un large sourire de satisfaction, qui fissure en quelques endroits ses traits arides et nécrosés. La surprise que manifeste Arielle provoque alors le rire de Hel.

— Elleira a menti, déclare-t-elle de sa voix rauque. Introduire ta lame de glace dans mon cœur, c'était la pire chose à faire, petite sœur!

Arielle tente alors de retirer sa lame du corps de la déesse, mais réalise qu'elle en est incapable. Une énergie émanant de la créature se propage le long de son épée de glace, voyage jusqu'à la garde, puis traverse la poignée et se répand dans le bracelet qu'Arielle porte toujours au poignet. L'onde de chaleur pénètre ensuite sa chair, puis se distille dans son bras et jusqu'à son épaule. Elle bifurque ensuite pour se loger à la fois dans sa tête et dans son cœur. La jeune élue perçoit de nouveau l'effroyable rire de Hel, mais, cette fois, il résonne à l'intérieur d'elle-même et non à l'extérieur. Une fois le transfert d'énergie terminé, la créature qui se trouve aux pieds d'Arielle pousse un dernier souffle, puis s'affaisse complètement. Aucun doute, elle est morte. L'enveloppe charnelle dans laquelle évoluait Hel s'est éteinte, mais la déesse du royaume des morts, elle, vit toujours, Arielle en est convaincue. Et le lieu où elle s'est retirée n'est peut-être pas si loin.

« *Bravo, chérie*, lui dit Hel, *tu viens de délivrer les âmes prisonnières du Galarif, tel que le prédisait cette fameuse prophétie en laquelle tu crois tant. Mais les écrits d'Amon ont aussi servi à t'attirer dans l'Helheim, petite sœur, afin tu puisses me servir de vecteur, de véhicule. »*

Arielle avait pressenti le pire : c'est bien à l'intérieur d'elle-même que la déesse s'est réfugiée.

— Vous ne pouvez pas faire ça…, souffle la jeune fille, désespérée.

« Mais si, je le peux. »

L'adolescente a l'impression qu'on vient de la violer. Quelqu'un s'est introduit de force, non pas dans sa maison ou dans sa chambre, mais dans son corps et dans son esprit. Elle se sent dépossédée de ses secrets, de ses souvenirs. Désormais, un être maléfique sait ce qu'elle pense et ce qu'elle ressent à tout moment. Elle ne peut plus rien cacher. Elle n'est plus seule.

« Le capitaine Razan est mignon et drôle, dit Hel pour torturer son hôte, *mais je ne pensais pas que tu l'aimais à ce point ! »*

— Allez-vous-en ! Laissez-moi tranquille !

« C'est impossible, malheureusement. Grâce à toi, je pourrai voyager vers Midgard et, une fois là-bas, me propager à l'intérieur des dix-huit autres sœurs reines ! C'est à l'intérieur de toi et de nos sœurs que je vivrai, Arielle ! La puissance que vous détiendrez alors sera démesurée ! »

— Et si je décidais de ne pas retourner sur la Terre, hein ?! s'emporte Arielle à voix haute. Alors, vous mourrez ici, avec moi !

« Mais tu ne le feras pas, petite sœur, car de grands dangers menaceront bientôt l'humanité. Tu es le seul espoir des humains, Arielle Queen. Sans

toi, *ces pauvres idiots n'ont aucune chance de survivre au règne de Loki. Si tu ne retournes pas là-bas, ils mourront tous et ce sera ta faute!*»

Cette fois, et malgré toute sa détresse, c'est Arielle qui se met à rire:

— J'apprécie votre aveu. Alors, vous croyez que j'ai une chance de vaincre Loki?

«*Non, répond Hel, mais toi, tu le crois, et c'est ce qui nous ramènera toutes les deux à Midgard!*»

12

*Arielle parvient enfin à retirer
son épée de glace du corps
de la créature.*

Tous ceux présents s'attendent à ce qu'elle manifeste sa joie ou, à tout le moins, son soulagement. Mais non, la jeune fille demeure silencieuse et paraît beaucoup plus troublée que soulagée. L'air défait qu'affiche Arielle indique que quelque chose ne va pas. Razan est le premier à réagir : il rengaine son arme et accourt vers la jeune élue, et s'empresse de lui demander ce qui se passe.

— Elle est là… à l'intérieur de moi, répond Arielle, encore sous le choc.

— De qui tu parles ?

— Hel.

— Hel ? Mais elle est morte, tu viens de la tuer !

Arielle secoue la tête.

— La lame de glace, c'était un piège. Grâce à mon épée, l'esprit de Hel a quitté le corps de la créature… et a été transféré en moi. C'est ce qu'elle voulait.

Tous les compagnons d'Arielle se regroupent autour de la jeune fille.

— Alors, Elleira nous a volontairement induits en erreur ? fait Geri.

— J'aurais dû m'en douter, gronde Razan, bouillant de rage.

— C'est toi qui as le contrôle ? demande Brutal à sa maîtresse.

— Pour le moment, oui. Mais j'ignore combien de temps ça va durer.

Razan se tourne alors vers Elleira, qui se tient à toujours l'écart du groupe, dans un angle de la cour. Le garçon constate que Noah est auprès d'elle, et cela le met dans une colère terrible. *Il a rejoint cette garce d'alter pendant que nous nous cassions le cul à combattre la déesse,* se dit Razan, réalisant que Noah a été absent pendant toute la durée de l'affrontement. *Je croyais qu'il avait changé, ce trouillard, mais j'avais tort !* Après les avoir observés un bref moment, Razan dégaine son épée et se précipite dans leur direction. *Ils vont me payer ça !* se dit-il, s'imaginant déjà en train de les découper tous les deux. *Ce sera le prix à verser pour avoir mis la vie de la gamine en danger !* Voyant que Razan fonce sur eux comme un taureau enragé, Noah brandit son épée et ordonne à Elleira de se placer derrière lui.

— Je t'interdis de lui faire du mal ! crie Noah à Razan. Elle s'est repentie, et c'est grâce à elle que nous avons pu nous débarrasser de Hel !

— En tout cas, ce n'est sûrement pas grâce à toi ! rétorque Razan, toujours en pleine course.

Lorsqu'il arrive enfin à la hauteur de Noah, il ne prend même pas la peine de lui expliquer qu'Elleira les a trahis une seconde fois.

— Dégage de là, imbécile! crache le garçon en assénant un violent coup au visage de Noah.

Le choc est si puissant qu'il projette Noah contre le rempart de glace. Ce dernier en perd son épée, puis chute sur le derrière, encore une fois humilié par son ancien alter.

— Espèce de lâche! lui dit Razan. Je t'ai pourtant expliqué que tu devais t'occuper d'Arielle, non?! Que fais-tu ici alors?

— Elleira m'a demandé de l'aider et…

— La ferme, Davidoff! Tu es pathétique! À la première occasion, tu te défiles! Comme lorsque ton grand-père nous emmenait à la pêche! Qui devait l'affronter, alors, hein? C'était toi? Réponds, idiot! C'était toi?!

— Razan, je…

Plus personne ne protège Elleira à présent. Razan en profite pour se tourner vers elle et la pousser dans un coin, là où tout repli est impossible.

— Alors, satisfaite? lui demande Razan, glissant la pointe de son épée sous le menton de la jeune alter.

— Laisse-la tranquille, Razan! s'écrie Noah en essayant de se relever.

Mais Razan ne lui en donne pas l'occasion: d'un coup de pied, il le renvoie au sol.

— Elle nous a bien eus, ta copine, dit Razan qui tient toujours Elleira en respect avec son épée. À cause d'elle, poursuit-il, cette salope de déesse s'est introduite dans le corps d'Arielle. Tu sais ce que ça signifie, Nazar ? Ça signifie qu'à moins de trouver un sacré bon exorciste, notre jolie Arielle est dans la merde jusqu'au cou !

Noah demeure de marbre. Il ne fait pas confiance à Razan, et préfère avoir la version d'Elleira :

— C'est vrai, ce qu'il dit ? demande-t-il en s'adressant à la jeune alter.

Elleira hésite une seconde, puis finit par acquiescer.

— Oui, c'est vrai. Je suis désolée.

Noah ferme les yeux tout en soupirant de dépit.

— Elleira, comment as-tu pu…

— Je l'ai fait pour nous, l'interrompt la jeune alter. Hel m'a promis que nous irions ensemble dans le Walhalla et…

— Tu n'iras nulle part, rétorque Razan en pressant un peu plus sa lame sur le cou d'Elleira.

Il se prépare à enfoncer la pointe de l'épée dans la gorge de la jeune alter lorsque les premières secousses d'un tremblement de terre se font sentir. Distrait, Razan éloigne sa lame d'Elleira. Celle-ci en profite pour s'enfuir, mais lorsqu'elle passe près de Noah, ce dernier parvient à lui agripper les jambes et à la faire tomber. Elle se retrouve sur le sol, près de Noah qui bondit aussitôt sur elle.

— Je ne t'aime pas, Elleira ! lui crie Noah en saisissant ses poignets. J'aime Arielle ! Je n'ai toujours aimé qu'Arielle Queen, tu entends ? ! Pourquoi lui as-tu fait du mal ?

Une lueur de folie traverse le regard du garçon. Elleira ne l'a jamais vu comme ça.

— Noah, arrête ! le supplie-t-elle. Tu me fais mal !

Mais le garçon n'a pas l'intention de lâcher prise maintenant.

— Te faire mal ? répète Noah avec un rire sardonique. Mais tu n'as encore rien vu !

— Laisse-moi au moins partir pour le Walhalla avec les autres âmes…

— Et pourquoi te ferais-je cette faveur ?

— En souvenir du passé, Noah.

Le garçon fait non de la tête.

— Tu nous as trahis une fois de trop, Elleira.

Noah saisit alors son épée, qui repose non loin de lui, et l'enfonce dans le cœur d'Elleira. La jeune alter adresse un dernier regard rempli d'amour à Noah, puis s'éteint, pour toujours. Puisque Elleira a été tuée dans l'Helheim, son âme ira se perdre dans le néant éternel plutôt que de rejoindre le Walhalla, le paradis des âmes justes et des héros tombés au combat.

Les vibrations causées par le séisme se font de plus en plus intenses. Razan se trouve en perte d'équilibre depuis qu'elles ont commencé. Chancelant, il a assisté à la mort d'Elleira, mais sans intervenir, trop heureux que Noah se soit occupé du sale boulot à sa place. Quelque chose dans l'attitude du garçon inquiète cependant Razan. Lorsqu'il s'est débarrassé de la jeune alter, Noah ne semblait pas lui-même ; on l'aurait dit en proie à une rage meurtrière. *Tu t'en fais pour rien, mon vieux,* se rassure Razan. *Il était temps qu'il démontre un peu de caractère, ce crétin !*

Des grondements sourds s'élèvent alors de la montagne qui se trouve sous l'Elvidnir et accueille en son cœur les cachots du Galarif. Immédiatement après les grondements viennent d'autres tremblements, encore plus violents que les précédents. Ils sont accompagnés de forts craquements, provenant de l'intérieur des remparts et des tours de glace, qui ressemblent au bruit sec que font les glaciers en se fracassant.

— Nom de…, fait Razan qui commence à comprendre ce qui se passe. Le palais tout entier est en train de se fissurer!

Arielle et les autres s'empressent de quitter leur position et de rejoindre Noah et Razan.

— C'est Hel! explique l'élue. Souviens-toi de ce qu'elle a dit: une fois qu'elle aura quitté l'Helheim, le royaume sera anéanti!

D'énormes morceaux de glace se détachent alors des remparts et des tours et viennent s'écraser lourdement sur le sol, tout autour du groupe.

— Vous ne devez pas rester ici! les prévient Razan. Le palais va s'effondrer.

— Pourquoi tu dis «vous»? lui demande Arielle. Et toi, que comptes-tu faire?

— Tu le sais très bien, princesse.

— Il n'est pas question que je te laisse ici! proteste Arielle.

— Je suis mort…

— Non, pas encore!

Razan s'apprête à répliquer lorsqu'il est interrompu par Noah:

— Mais bon sang! Qu'est-ce que c'est que ça? demande le garçon tout en se relevant.

Son regard est fixé au ciel. L'air pantois qu'il affiche incite tous les autres à lever la tête. Ils découvrent alors qu'un gigantesque passage, circulaire et de couleur sombre, de la taille d'un gros nuage, s'est ouvert dans le ciel. On dirait l'entrée d'un grand tunnel.

— Une voie rapide menant directement au Walhalla, explique Ael.

C'est alors que la terre tremble pour une troisième fois. Des fissures lézardent le sol et finissent par se transformer en de longues et larges crevasses. De ces dernières s'échappent d'étranges nuées blanchâtres, certaines diaphanes, d'autres plus opaques. Un nombre incalculable de formes se dessinent à travers elles : des silhouettes d'humains, d'elfes, de sorciers, de nains, de kobolds et de trolls. Elles semblent sortir tout droit des entrailles de la terre, mais en vérité, elles s'échappent du Galarif.

— Ce sont les âmes des décédés et des damnés ! s'écrie Ael avec bonheur. Elles ont été délivrées de leur cachot et s'envolent vers ce passage. C'est grâce à toi, Arielle ! Tu as réussi !

Razan est lui-même attiré vers cette large ouverture qui assombrit le ciel.

— Arielle…, murmure le garçon, fort troublé. Quelque chose est en train de se produire. Je… j'ai un mauvais pressentiment. C'est… terminé. Cette fois, c'est bel et bien terminé.

Alors que d'énormes fragments de l'Elvidnir continuent de se détacher de la structure et de pleuvoir dans la cour, Razan laisse tomber son épée fantôme et commence à marcher en direction de la tour ouest, au-dessus de laquelle est apparue l'entrée du tunnel. Il sent son corps devenir plus léger. À un moment, il a l'impression de ne plus toucher terre. Un sourire béat illumine son visage lorsque Arielle se plante devant lui, fermement décidée à le retenir. Pas question qu'il fasse un pas de plus en direction de cette chose obscure qui est censée le conduire dans le Walhalla.

— Razan ! lui dit-elle pour le sortir de sa torpeur. Razan, reste avec nous ! Reste avec moi !

— Je ne peux pas…, répond le garçon sans la regarder.

Il est incapable de détacher son regard de l'entrée du passage.

— Tu ne peux pas m'abandonner comme ça, Razan, l'implore la jeune fille. Pour que le plan de Loki fonctionne, les médaillons de Skol devaient être réunis par deux êtres amoureux l'un de l'autre. Tu sais ce que ça veut dire ? Ça veut dire que tu es amoureux de moi, idiot !

Deux grosses larmes roulent alors sur les joues d'Arielle. Des larmes de tristesse, mais aussi de colère.

— Arielle…, dit soudain Razan.

Son regard a cessé de fixer l'entrée du passage lorsque Arielle a prononcé le mot « amoureux ».

— Arielle, je ne peux pas rester, explique le garçon en posant ses yeux sur elle. J'ai été tué sur la Terre, par Sidero. Mon âme finira dans le Walhalla, comme celles de tous les autres décédés, que je le veuille ou non.

— Tu dois te battre, Razan !

— Je suis fatigué de me battre. J'ai l'impression qu'au bout de ce tunnel il y a une île du Pacifique qui m'attend, ainsi qu'une jolie serveuse avec un plateau rempli de cocktails à l'ananas, juste pour moi.

— Et que fais-tu de ta promesse de m'emmener à Bora Bora ?

Razan offre son plus beau sourire à la jeune fille.

— Peut-être qu'on se retrouvera là-bas un jour, qui sait ?

— Razan, je t'en supplie, écoute-moi…

— C'est avec un autre que tu termineras cette aventure, Arielle Queen.

— C'est faux ! Et tu le sais très bien. Je t'aime, Tom Razan ! Je t'aime, tu comprends ? ! Depuis le début, ç'a toujours été toi ! Que toi ! Tout le monde croyait que je tomberais amoureuse de Noah, mais ce jour n'est jamais arrivé, et n'arrivera jamais. Des visions du futur me disent que je devrais choisir Kalev de Mannaheim, pour mon propre bien et pour celui de l'humanité. Mais je ne peux pas…

— Tu es dans mon cœur, petite princesse. Pour toujours. Où que je sois, je veillerai sur toi.

Arielle se jette dans les bras de Razan et le serre contre elle. Une autre ouverture se dessine alors dans un des remparts du palais, le seul qui ne soit pas encore abîmé. « *C'est la voie du retour !* dit la voix de Hel à l'intérieur d'Arielle *Cet autre passage mène à Midgard. Mais dépêche-toi d'y entrer, car si le mur s'affaisse, l'ouverture disparaîtra avec lui. Tu n'as plus beaucoup de temps, Arielle.* »

Razan repousse doucement Arielle et pose un baiser sur ses lèvres. Arielle ne le laisse pas s'éloigner et rattrape sa bouche lorsqu'il s'apprête à rompre leur étreinte. Tous les deux s'embrassent alors avec passion, d'une manière si rude, mais à la fois si douce… Arielle voudrait que ce moment ne finisse jamais, qu'il se fige dans l'éternité. « *Ce n'est pas lui que tu dois aimer, petite sœur,* lui dit Hel. *Il y en a un autre…* » Arielle n'a pas l'intention de se laisser imposer quoi que ce soit par cette déesse démoniaque. *Je l'aime,* lui répond Arielle. *J'aime Razan pour ce qu'il est, et pour ce qu'il n'est pas. Et vous ne pourrez jamais rien y faire!*

À regret, les deux jeunes gens mettent un terme à leur étreinte.

— Je ne les laisserai pas te tuer, promet Arielle à Razan. Je vais retourner là-bas pour les en empêcher!

Mais Razan ne partage pas son optimisme :

— Hel ne te laissera pas faire.

— Alors, j'enverrai quelqu'un d'autre.

— Princesse…

— Chut, tais-toi! le coupe Arielle en posant un doigt sur ses lèvres.

Razan acquiesce en silence, puis reporte son regard sur l'entrée du tunnel. Arielle comprend qu'il est temps pour lui de partir. Razan contourne la jeune élue et reprend sa marche vers l'ouest. Arielle se retourne lentement et regarde le jeune homme s'éloigner. De nouvelles larmes mouillent alors ses paupières.

— Je sais que tu m'aimes, Tom Razan! crie-t-elle au garçon lorsque celui-ci se positionne au-dessous du passage.

Razan lui adresse un dernier regard, puis lève les bras en direction du ciel. Son corps est alors enveloppé d'une lumière blanche si étincelante qu'Arielle s'en trouve aveuglée. D'instinct, la jeune fille place son avant-bras devant ses yeux pour les protéger de la lumière. Lorsqu'elle abaisse son bras, Tom Razan a disparu.

13

*Arielle essuie ses larmes
et retourne en vitesse auprès
de ses compagnons.*

Le départ de Razan l'attriste beaucoup, mais il sera toujours temps de pleurer plus tard. Pour l'instant, elle doit trouver une solution pour éviter que Razan soit tué par Sidero et ses hommes. La façon la plus simple de lui éviter la mort serait de retourner sur la Terre, mais dans le passé, tout juste après leur départ de la fosse. Ainsi, Arielle pourrait retrouver Razan pendant qu'il est toujours vivant et le prévenir que Sidero viendra bientôt pour le tuer. « *Razan a raison*, lui dit Hel. *Je ne te laisserai pas retourner dans le passé, sœurette, bien au contraire.* »

— Alors, d'autres iront ! réplique Arielle à haute voix.

Une fois de retour auprès de ses compagnons, Arielle leur indique le seul rempart encore intact, à la surface duquel s'est ouvert le nouveau passage.

— C'est notre sortie de secours! les informe-t-elle. Gracieuseté de Hel. En fait, c'est pour moi qu'elle l'a ouvert, mais je me suis dit que vous pourriez aussi en profiter. Qu'en dites-vous?

— Enfin, des bonnes nouvelles! répond Brutal.

Autour d'eux, la destruction du palais se poursuit. Les dommages sont de plus en plus importants. Heureusement, les tours et les tourelles qui se trouvaient à proximité de leur position se sont déjà toutes effondrées et ne risquent plus de les écraser. Bien que certaines parties du mur demeurent encore fragiles, Arielle et ses compagnons doivent davantage se méfier des crevasses béantes qui se sont ouvertes autour d'eux dans le sol.

— J'ai besoin que vous me rendiez un important service, leur dit Arielle. Si Razan était avec nous aujourd'hui, c'est parce qu'il a été tué à Midgard par un groupe de soldats alters, peu après notre départ. Il faut empêcher cela.

Brutal hausse un de ses sourcils poilus.

— Tu veux qu'on retourne dans le passé et qu'on change l'histoire?

Arielle acquiesce.

— Il vous suffit de retourner à la fosse au moment même où nous l'avons quittée, explique Arielle, et de prévenir Razan de ce qui l'attend. J'espère que vous pourrez l'aider à ne pas se faire tuer.

— Qui te dit que ce passage nous conduira là-bas? demande Geri. Il peut tout aussi bien nous recracher en Australie ou au pôle Nord!

— Certaines personnes arrivent à réorienter les sorties de ces vortex, comme dans le cas des maelströms intraterrestres. Quelqu'un parmi vous en est-il capable? demande Arielle en espérant que les nouveaux pouvoirs d'Ael lui permettent d'accomplir ce genre de chose.

— Moi! répond fièrement la jeune Walkyrie, au grand soulagement d'Arielle. J'entrerai la première et remodèlerai le passage pour ceux qui souhaitent me suivre.

— Il n'est pas question que je laisse Ael partir seule là-bas, dit Jason. J'irai aussi.

— Nous serons les suivants! disent ensemble Leandrel et Idalvo, les deux elfes de lumière.

— Et ensuite, ce sera mon tour, assure Brutal.

— Puis le mien, ajoute Geri.

Seul Noah garde le silence.

— Je dois rester avec Arielle, déclare-t-il finalement. C'est ce que m'a dit Razan. C'est à mon tour de m'occuper d'elle maintenant.

Étrangement, personne ne semble se réjouir de cette annonce, pas même Arielle.

— J'apprécie beaucoup, Noah, lui dit la jeune fille, mais il serait plus prudent que tu ailles avec les autres. Hel ne laissera personne m'accompagner.

La déception de Noah est palpable, mais il se plie néanmoins à la volonté d'Arielle.

— Allons-y! lance alors la jeune élue. Il n'y a plus de temps à perdre!

Après avoir sauté par-dessus une demi-douzaine de crevasses et évité de justesse l'écroulement d'un parapet, ils parviennent enfin à se réunir devant l'entrée du passage. Tel que prévu, Ael est la première à s'avancer. Elle inspire profondément, puis, d'un pas décidé, pénètre dans le vortex. Dès que sa jambe franchit l'entrée, la jeune Walkyrie est aspirée dans le passage et disparaît en une fraction de seconde.

— C'est à moi, dit alors Jason en s'assurant que ses mjölnirs sont bien calés dans leurs étuis.

À son tour, il fonce vers le passage et se laisse happer par celui-ci. Leandrel et Idalvo sont les suivants. Tous comme leurs prédécesseurs, ils franchissent l'entrée du vortex sans la moindre hésitation. Brutal s'avance ensuite vers le passage, mais s'arrête tout juste avant d'y pénétrer.

— On se revoit bientôt ? demande-t-il à sa maîtresse.

Arielle lui répond par un sourire, espérant que cela rassurera son animalter. Brutal sourit à son tour, puis se tourne vers Noah. Lorsque leurs regards se rencontrent, le sourire de Brutal disparaît.

— Et toi, je ne t'ai pas oublié, prévient l'animalter d'un ton menaçant. Je vais continuer de t'avoir à l'œil. *Capice*, Nazar ?

Noah ne répond rien. C'est en silence qu'il assiste au départ de Brutal.

— Geri, tu peux y aller, dit Arielle.

— Non, c'est mon tour ! intervient Noah sur un ton brusque.

Il pousse Geri et se place devant l'entrée du passage. Arielle a l'impression que le garçon est en colère. « *Il n'est pas colère*, lui dit Hel. *Il est jaloux. Jaloux que tu lui préfères le capitaine Razan ! Ha ! ha !* »

Arielle s'avance vers le jeune homme.

— Noah, attends…

Mais Noah ne la regarde pas. Ses yeux demeurent fixés sur l'entrée du passage.

— Que veux-tu, Arielle?

— Noah, tu ne dois pas le prendre comme ça. Je n'ai pas voulu te faire de peine.

Cette fois, le garçon tourne la tête et rive son regard à celui d'Arielle.

— De quoi parles-tu?

Arielle hésite une seconde, puis se lance:

— De Razan et moi.

Noah tente de ne rien montrer de ses sentiments, mais ses traits crispés le trahissent. Il continue de fixer Arielle intensément, mais au bout d'un moment, il finit par se détendre. Sa mâchoire se décontracte et ses épaules se relâchent.

— Arielle, je... Nous...

— Tu n'as pas besoin d'expliquer, Noah...

— Non, laisse-moi finir. Écoute... je t'aime, Arielle.

Dès qu'il a prononcé ces paroles, Noah ferme les yeux et prend une grande inspiration, comme s'il était enfin délivré d'un lourd secret.

— Voilà, je l'ai dit, souffle-t-il en rouvrant les yeux.

Arielle lui prend la main.

— Je sais que tu es amoureux de moi, Noah. Et à certains moments, j'ai cru t'aimer, moi aussi. Mais... je me trompais, tu comprends?

Noah acquiesce, sans grand enthousiasme.

— Ce que tu aimais en moi, c'était Razan, n'est-ce pas?

Arielle fait oui de la tête. Noah regarde la jeune fille pendant encore un instant, puis se met à rire, un rire sarcastique, rempli de mépris. Il oblige Arielle à lâcher sa main et se remet ensuite face au passage. Tout juste avant de s'y engager, il se tourne une dernière fois vers Arielle et lui dit:

— Razan représente tout ce que j'ai toujours détesté. Si tu l'aimes, alors ça signifie que tu ne vaux pas mieux que lui, Vénus!

Sans attendre la réponse d'Arielle, Noah s'élance dans l'entrée du passage et se laisse avaler par lui.

Dès qu'il est aspiré par le vortex, Noah sent que quelque chose ne va pas. Il croyait qu'il serait seul pendant son voyage de retour, mais ça ne semble pas être le cas. Il détecte la présence d'une autre personne près de lui. En fait, il s'agit plutôt d'une autre âme. Une âme de décédé qui ne s'est pas envolée vers le Walhalla, mais a plutôt attendu que Noah quitte l'Helheim pour se joindre à lui ou, du moins, pour l'accompagner dans son périple vers Midgard.

Noah distingue soudain une silhouette blanche flottant à ses côtés. L'être spectral semble voyager à la même vitesse que lui et se diriger au même endroit.

— Noah Davidoff, comme je suis heureux de te retrouver! dit la voix de l'âme.

Les contours de la silhouette se précisent à mesure qu'elle se rapproche de Noah.

— Qui es-tu? demande Noah qui, malgré tous ses efforts, est incapable de reconnaître son compagnon de voyage.

La voix lui est pourtant familière. Elle a un petit accent… hispanique.

— Je suis Tomasse Thornando, répond le spectre.

Thornando ? La seule évocation de ce nom fait frémir Noah.

— Il s'est passé quelque chose, poursuit Thornando. Je ne sais pas pourquoi, mais on m'a chassé de mon corps et c'est toi qui en as hérité. Je me suis retrouvé prisonnier dans un endroit situé entre la Terre et l'Helheim. Chaque fois que j'essaie de revenir vers Midgard, une voix me dit que je ne peux y retourner, car je ne suis pas vivant. Je prends alors la direction de l'Helheim pour tenter de m'incarner là-bas, mais la même voix me dit que je ne suis pas mort. Alors, que suis-je, Noah ? Les voix disent que toi seul peux me répondre !

Noah craint de succomber à la panique. *Mais qu'est-ce qu'il peut bien faire ici ?* se demande le garçon. *Et que veut-il ?* Même s'il essaie de se convaincre du contraire, Noah sait très bien pourquoi Thornando le traque ainsi depuis son départ de l'Helheim. Il n'y a qu'une seule raison qui puisse motiver le jeune fulgur : il souhaite reprendre possession de son corps, et sans doute le plus rapidement possible. *Pas question,* se dit Noah. *Il est trop tard. Je ne peux pas tout abandonner maintenant ! Son corps était libre et il m'a été offert, probablement par les dieux eux-mêmes. Ce n'est pas ma faute. C'est le destin qui en a décidé ainsi. Mon destin ! Celui du prochain roi de Midgard !*

— Espèce de salaud ! rugit Thornando. J'entends tes pensées. Alors, c'est toi ? C'est toi qui m'as chassé de mon corps pour en prendre possession? Mais comment as-tu pu? Et pourquoi? Pourquoi as-tu fait ça? Par ta faute, mon âme torturée erre dans cet endroit situé entre la vie et la mort. Tant que je ne sortirai pas d'ici, tant qu'on ne me libérera pas, je ne trouverai jamais la paix ni le repos!

— Alors, tu tiens à ravoir ton corps? lui demande Noah sans perdre plus de temps.

— Oui, tu dois… tu dois me le redonner. C'est vital.

Le lui redonner? Moi? se répète Noah. *Mais bien sûr! Il ne peut le reprendre de force, sinon ce serait déjà fait. Je dois donner mon accord.*

En comprenant qu'il n'a plus rien à craindre de Thornando, Noah reprend rapidement confiance. Il est inutile de s'en faire à présent: le chevalier ne pourra jamais lui reprendre son corps, à moins que Noah lui-même ne le souhaite.

— J'ai encore besoin de ton corps, répond Noah sur un ton plus assuré. Je te le rendrai plus tard.

— Non, écoute… Tu ne peux pas faire ça…

Cette fois, c'est le pauvre Thornando qui laisse transparaître sa nervosité.

— Je ne peux plus rester ici… Je dois partir.

— C'est toi qui as choisi de consacrer ta vie à la protection des sauveurs de Midgard, pas moi!

— Quoi? Mais… mais…

— Je ne suis peut-être pas l'élu de la prophétie, soutient Noah, mais j'ai tout de même de grandes choses à accomplir.

— Non, attends…

— Moi aussi, je suis un sauveur, à ma manière.

— Tu fais erreur : tu n'es pas un sauveur, malgré tout ce que tu crois...

— Je ne suis pas ici pour te convaincre.

La nervosité de Thornando fait place à l'affolement.

— Tu ne comptes pas me laisser ici, n'est-ce pas?...

— Je te l'ai dit, soupire Noah, j'ai encore besoin de ton corps pour...

— Non! le coupe Thornando. Ce corps m'appartient! Tu ne peux pas me laisser pourrir ici pour l'éternité! Non, tu ne peux pas! Tu ne peux pas!!

— Je n'ai pas le choix : ma mission n'est pas encore terminée sur la Terre.

— Redonne-moi mon corps! exige Thornando. Maintenant!

— Que ferais-tu à ma place? Je suis un descendant des Varègues de Novgorod et n'ai qu'un seul destin : celui de régner sur mon peuple, les hommes. Je ne peux pas laisser Kalev de Mannaheim me voler mon trône, ce serait terrible pour l'humanité. Et tu sais quoi? Arielle Queen sera ma reine. Que les dieux m'entendent : je ne laisserai jamais personne me la prendre! Jamais! Elle m'aimera ou...

— ... mourra? complète Thornando. Espèce de sale ordure!

— Ça, tu ne le sauras jamais, Tomasse.

Une lumière blanche apparaît soudain au bout du tunnel.

— Voici la sortie, annonce Noah. De l'autre côté de cette lumière, il y a Midgard.

— Ne me laisse pas ici! Je t'en supplie! Je vais devenir fou! Le temps n'existe plus dans cet endroit! Emmène-moi! Même si je meurs, ce sera une délivrance. Mieux vaut mourir que de rester ici éternellement, sans personne à qui parler, sans autre chose à faire qu'à penser!

— J'aurais bien voulu, Tomasse, mais je préfère ne prendre aucun risque. Qui me dit que tu n'essaieras pas de récupérer ton corps lorsque nous reparaîtrons sur la Terre? Ce que j'ai à faire, là, en bas, est beaucoup plus important que ta misérable vie... et celles de bien d'autres.

— Je te maudis, Noah Davidoff! s'écrie Tomasse Thornando. Je te maudis à jamais!

La dernière chose qu'entend Noah avant de plonger dans la lumière et de quitter le vortex, c'est le cri désespéré du jeune fulgur:

— NOOOOOOOOOOOOOOOOOOOON!!

14

*Alors que le palais de l'Elvidnir
s'écroule autour d'eux,
Arielle et Geri contemplent
en silence l'ouverture du passage
vers Midgard.*

Tous deux sont encore affectés par la façon dont Noah les a quittés.

— Noah a changé, dit Geri sans quitter le passage des yeux. Ce n'est plus mon maître.

Arielle approuve, mais à contrecœur :

— Quelque chose s'est passé. Il est amer. Et ce n'est pas seulement à cause de la jalousie. Il y a autre chose.

Une large crevasse traversant la cour intérieure menace bientôt de les séparer du passage.

— Vas-y, Geri. C'est à toi.

Le doberman secoue la tête.

— Pas question, répond-il. Les femmes et les enfants d'abord.

D'un geste de la main, l'animalter invite la jeune élue à le précéder dans le passage.

— Je te souhaite de retrouver Razan de l'autre côté, lui dit Geri.

Arielle le remercie d'un sourire.

— Ne t'attarde pas ici, lui dit-elle avant de franchir la distance qui la sépare du vortex.

— Tu peux me faire confiance, lui répond l'animalter.

Arielle ferme les yeux et pénètre lentement dans l'ouverture. Aussitôt cette dernière franchie, le tunnel se rétrécit considérablement et la jeune fille se sent projetée vers l'avant, comme si une puissante force d'attraction s'était emparée d'elle. Cela n'a rien de désagréable cependant. Arielle n'a pas l'impression de quitter l'Helheim, mais plutôt de rentrer à Midgard. Elle a le sentiment qu'elle sera bientôt à la maison. Le tunnel à l'intérieur duquel elle voyage est sombre et étroit, mais Arielle ne s'y sent pas mal à l'aise ; il n'y fait ni froid ni chaud, et il y a suffisamment d'air pour bien respirer.

Bientôt, l'adolescente fait soudain face à un embranchement. L'une des deux voies est orientée vers le bas, tandis que l'autre monte vers le haut. Arielle ignore comment elle le sait, mais elle est convaincue que le passage inférieur mène vers le passé et le supérieur, vers le futur. Il lui faut absolument emprunter la route du bas pour rejoindre Ael et ses autres compagnons, et elle se prépare à le faire lorsque le rire de Hel résonne à nouveau dans sa tête. « *Ce n'est pas le passé qui nous attend, petite sœur, mais le futur.* »

— Non! proteste Arielle. Je dois retrouver mes compagnons!

« *Retrouver Razan, plutôt! se moque la déesse. Désolée de te l'apprendre, chérie, mais aucun de tes compagnons ne parviendra à sauver ton amoureux. Tu dois t'y faire : tu ne le reverras plus jamais!* »

— C'est faux! Je sais que vous mentez!

« *Tu doutes encore de moi, petite sœur? Mais tout ce que je souhaite, c'est ton bien. Notre père a déjà prévu t'offrir en mariage au général Sidero. Tous les deux, vous formerez un couple du tonnerre! Tu imagines? Te marier avec l'assassin de Razan! C'est trop ironique!* »

— J'empêcherai cela! rétorque Arielle avec ardeur. Je me dresserai contre vous et mettrai fin à tout ce que vous entreprendrez!

« *Bien au contraire, Arielle. C'est toi la première qui nous aideras à régner sur le monde des hommes. Des dix-neuf sœurs reines, tu seras celle qui démontrera le plus de loyauté envers Loki. Tu seras la plus cruelle et la plus impitoyable! Les esclaves humains te surnommeront la Dame de l'ombre!* »

Arrivée à la bifurcation, Arielle tente par tous les moyens de s'engager dans la voie inférieure, mais Hel n'a pas l'intention de la laisser faire : la déesse s'approprie momentanément le contrôle de leur corps commun et oblige la jeune fille à se diriger vers le tunnel du haut.

— Non! Ne faites pas ça! la supplie Arielle.

Mais il est trop tard : Arielle et son hôte s'engouffrent à vive allure dans la voie supérieure, celle qui mène vers le futur. Dès qu'elles ont passé l'embranchement, la déesse redonne le contrôle de son corps à Arielle. Les poings fermés, la mâchoire serrée, la pauvre Arielle retient ses larmes. Des larmes de désespoir, mais aussi de rage.

« *Cesse de t'apitoyer sur ton sort, ma belle,* lui dit la déesse. *Très bientôt, tu auras oublié tout ça et…* » Hel est alors interrompue par un bourdonnement sourd qui résonne aux oreilles d'Arielle. Le bruit vient de l'extérieur de la jeune fille, elle ne peut donc pas l'attribuer à la déesse. « *Ne t'inquiète pas, Arielle,* lui dit une voix à travers le bourdonnement. *Hel ne peut pas nous entendre.* » C'est la voix du dieu Tyr. Arielle sent soudain sa présence dans le tunnel. Il est là, avec elle, mais elle ne le voit pas. Ce n'est pas grave : sa voix douce et apaisante suffit à rassurer la jeune fille. « *J'ai brouillé les ondes, pour ainsi dire,* explique le dieu. *Je peux te parler sans aucune crainte. Mais je dois faire vite ; ton voyage s'achève et tu seras bientôt de retour parmi les tiens.* »

— Par pitié, Tyr, l'implore Arielle, dites-moi que Razan est toujours vivant et que nous réussirons ensemble à chasser tous ces démons de notre monde.

« *L'avenir de Midgard et de son peuple n'est pas écrit. Le futur de votre monde est en constante évolution, car les humains possèdent quelque chose que bien d'autres créatures n'ont pas: la possibilité de choisir. C'est la raison pour laquelle Loki s'est incarné sur la Terre. Le destin des dieux est écrit depuis des siècles. Plusieurs d'entre eux, dont Loki lui-même, savent qu'ils périront quand arrivera le combat final entre les dieux, au jour du Ragnarök. C'est un cycle qui se répète depuis le début des temps. En s'exilant dans le royaume des hommes, Loki est parvenu à* rompre ce cycle et dispose maintenant d'un grand pouvoir : celui de choisir sa propre destinée. *Les sales manigances de Loki menacent non seulement Midgard et Mannaheim, mais aussi tous les autres royaumes de l'univers connu. C'est l'équilibre de l'Ygdrasil qui se jouera prochainement.* »

— Que puis-je faire pour m'opposer à Loki et l'empêcher d'accomplir ses desseins ? demande Arielle.

« *Tu dois choisir de croire. De croire que tu es toujours l'élue. De croire que la prophétie existe bel et bien, et qu'elle est véridique. De croire que les forces de la lumière triompheront un jour des forces de l'ombre. De croire en ton peuple, celui des hommes. De croire que tous les outils dont tu as besoin pour vaincre Loki et Angerboda sont encore là, disponibles pour toi.* »

Le dieu fait une pause, puis reprend :

« *Le temps est venu de te quitter. Je dois partir.* »

— Non, pas tout de suite !

« *Tu vois cette lumière devant toi ? C'est celle de Midgard. Tu arrives chez toi, Arielle Queen.* »

Là devant, tout au bout du tunnel, la jeune fille aperçoit effectivement une lumière. La plus belle qu'elle ait jamais vue.

— Tyr, ne m'abandonnez pas ! Et surtout, n'abandonnez pas les hommes !

« *Tu dois choisir de croire, Arielle.* »

— Attendez ! Débarrassez-moi de Hel. Je sais que vous le pouvez !

« *De croire que tous les outils dont tu as besoin pour vaincre Loki et Angerboda sont encore là, disponibles pour toi.* »

— Ne partez pas ! Je ne comprends pas ce que vous tentez de me dire !

Le bourdonnement cesse soudain. Dans la seconde, il est remplacé par la voix de Hel, qui résonne de nouveau dans l'esprit d'Arielle : « *Cesse de t'apitoyer sur ton sort, ma belle*, répète la voix de la déesse. *Très bientôt, tu auras oublié tout ça et tu t'afficheras fièrement en compagnie de ta nouvelle famille.* »

Ce sont les dernières paroles qu'entend Arielle avant de plonger tête première dans la lumière.

Une nouvelle famille.

Un nouveau monde.

De nouvelles sensations.

J'ai quitté l'Helheim, songe Arielle. *Vivante. J'ai traversé le passage. Mais à présent, où suis-je ? Entre deux mondes ? Non. La lumière. Je l'ai vue. Elle était là, magnifique. J'y suis entrée. Et m'y suis noyée. Noyée. Je suis en train de me noyer.*

De nouvelles sensations.

Un nouveau monde.

Il fait froid. J'ai peur. Mon cœur bat, mais je ne respire plus.

Aidez-moi !

Arielle ouvre enfin les yeux, mais elle ne voit rien. Quelque chose lui bloque la vue. Quelque chose qui lui caresse doucement le visage. Ce sont ses cheveux. Ils flottent dans l'air. Non, plutôt dans l'eau. Arielle réalise alors qu'elle se trouve sous l'eau. Elle sent son cœur battre dans ses tempes, mais est incapable de respirer. *Je me noie ! Non*, se ravise-t-elle, *je ne peux pas mourir. Hel ne le permettrait pas.* Le genou d'Arielle entre en contact avec une matière dure. Elle se demande ce que c'est, puis comprend qu'elle touche le fond. Mais le fond de quoi ? *De la fontaine,* se dit-elle. *Je suis dans le bassin de la fontaine !* Sans perdre de temps, Arielle pose ses pieds au fond du bassin. Il n'est pas très profond, selon ses souvenirs. Elle s'accroupit ensuite sur ses talons pour se donner de la force, puis bondit hors de l'eau.

Elle jaillit du bassin en moins de temps qu'il n'en faut pour le dire et retombe solidement sur ses pieds, dans la grotte de l'Evathfell. Elle est trempée jusqu'aux os. Les filets d'eau qui s'échappent de ses cheveux et de ses vêtements ruissellent jusqu'au sol et finissent par former une large mare autour de ses bottes. Le visage d'Arielle est toujours caché par ses longs cheveux mouillés. Elle passe une main sur son front et ramène sa tignasse humide vers l'arrière pour dégager enfin sa vue.

Là, devant la jeune élue, se tient Ael. La jeune Walkyrie est accompagnée des elfes jumeaux, Leandrel et Idalvo. La première chose que remarque Arielle, c'est qu'ils portent des vêtements différents de ceux dont ils étaient drapés à leur départ de l'Helheim.

— Il s'est passé combien de temps ? leur demande Arielle tout en essayant de garder son sang-froid.

De toute évidence, Ael hésite à répondre. *De quoi a-t-elle peur ?* se demande Arielle. *De me causer un choc ?* La Walkyrie baisse les yeux quelques instants, puis les relève et tente de fixer Arielle sans sourciller.

— Presque un an, répond-elle.

Arielle hoche la tête en silence. *Un an...*, se dit-elle, incapable d'y croire. *Il s'est passé une année terrestre depuis qu'Ael et les autres sont revenus de l'Helheim.* Arielle éprouve soudain de la difficulté à respirer, mais elle essaie de ne pas le montrer ; elle doit rester forte aux yeux de tous. *Tout ça, c'est votre faute, sale garce !* rugit Arielle intérieurement. *Vous allez me payer ça, Hel, je vous le promets !*

— Où sont Brutal et les autres ?

— Je n'ai pas le temps de t'expliquer, Arielle, lui répond la jeune Walkyrie. Nos espions nous ont informés que l'Elfe de fer et sa troupe d'élite seront bientôt ici. Ils sont chargés de vous ramener auprès de Loki et d'Angerboda. Si Loki n'a pas fait détruire cet endroit, c'est qu'il savait que vous arriviez aujourd'hui. Sa fille et lui avaient sûrement convenu d'une date de retour.

Voilà pourquoi Hel m'a forcée à revenir dans le futur, songe Arielle. « *Bingo ! Tu as tout deviné !* répond la déesse avec son ironie habituelle. *Je suis démasquée ! Ha ! ha ! Allez, mais qu'est-ce que tu attends ?! Pose-lui la question ! Pose la question qui te brûle les lèvres depuis ton arrivée !* » Hel a raison. À un moment ou à un autre, il lui faudra bien s'informer de Razan. Mais Arielle hésite. Elle hésite parce qu'elle a un mauvais pressentiment. Elle hésite parce qu'elle craint de recevoir une mauvaise nouvelle. Elle hésite parce que, si Razan était vivant, il se trouverait avec eux en ce moment même. Elle hésite parce qu'à sa sortie du bassin elle n'a entendu que le silence, et non la voix de

Razan, comme elle l'espérait tant. Arielle sourit en pensant à ce que le garçon lui aurait dit : « Heureux de te revoir, princesse ! Je t'ai manqué, pas vrai ? » Deux larmes coulent sur les joues d'Arielle tandis qu'elle sourit toujours.

— Il est vivant ?

Elle-même au bord des larmes, la jeune Walkyrie fait non de la tête.

— Je suis… désolée.

Ael s'attendait à la question, mais n'était pas aussi bien préparée qu'elle le croyait à y répondre.

— Nous sommes arrivés trop tard, explique-t-elle.

Ael s'arrête là, jugeant qu'elle n'a pas besoin d'en dire plus.

— Il était déjà… mort ? demande Arielle.

La jeune élue lutte pour retenir ses sanglots. Peu suffirait pour qu'elle flanche et s'effondre complètement.

— Oui, répond Ael sobrement.

Arielle ferme les yeux. Elle a de la difficulté à avaler, sa gorge est nouée par une profonde tristesse. Il ne lui reste plus qu'à accepter la disparition de Razan, semble-t-il. Mais si elle le fait, si elle réussit à admettre qu'elle ne le reverra plus, Arielle a l'impression qu'elle va devenir folle.

— Où est-il ?

— Lorsque nous sommes revenus de l'Helheim, Sidero et ses hommes venaient tout juste de l'abattre. Nous avons chassé les alters de la grotte, et ensuite…

Ael hésite un bref moment, puis reprend :

— Ensuite nous avons découvert le corps de Razan, et l'avons… enseveli ici.

Ael indique un amas de grosses pierres, dans un renfoncement de la grotte. *Le cadavre de Tom Razan gît là-dessous*, songe Arielle, incapable de détacher son regard du monceau de pierres. Lentement, elle se dirige vers la sépulture de l'homme dont elle était amoureuse, tandis que ses larmes continuent de couler silencieusement sur son visage impassible.

Arielle s'immobilise devant le monceau de pierres et examine attentivement chacune d'elles, chaque caillou qui recouvre le corps du second élu de la prophétie. « Tu es dans mon cœur, petite princesse, répète la voix de Razan dans ses souvenirs. Pour toujours. Où que je sois, je veillerai sur toi. » Les souvenirs ne cessent de s'enchaîner dans l'esprit de l'adolescente. Et Razan est présent dans chacun d'eux. Arielle ne peut s'empêcher de sourire en se rappelant certaines de ses répliques : « Holà ! princesse ! C'est moi, Razan ! T'aimes mon décolleté ? » « Comment as-tu trouvé ma performance, princesse ? Tu y as cru, pas vrai ? Et mon entrée remarquée, alors ? T'en fais quoi ? » « Je ne devrais même pas être ici ! Je devrais plutôt me trouver sur une plage de Bora Bora, à me faire bronzer la poire au soleil en sirotant un Maeva bien frais. » « Aie confiance, princesse. La force est avec moi ! » « Il est temps de bouger à la façon alter, princesse ! Tu te souviens comment ? » « J'avais envie de te faire plaisir. J'ai pensé que tu méritais bien un petit remontant. Avoue que ça t'a plu ? »

«Inutile de jouer les farouches, princesse. J'ai toujours su que tu avais un faible pour moi!»

Arielle s'agenouille devant la sépulture et pose une main sur la plus grosse pierre.

— J'aimerais tellement que tu sois là, murmure-t-elle.

Arielle se souvient aussi des paroles du vieux Razan, celui qui devait devenir son compagnon de vie, celui qui devait partager son existence jusqu'à la toute fin. Ses mots sont encore présents dans la mémoire d'Arielle, mais depuis qu'elle a appris la mort de Razan, ils semblent s'estomper, se diluer, comme si tranquillement on les effaçait... ou comme s'ils n'avaient jamais été prononcés. «*Ensemble maintenant, et pour tous les jours suivants. Ensemble, unis, car il en a toujours été ainsi de notre vie.*»

— Jamais je n'aurais pu croire que tu me manquerais autant, sale vaurien, lui dit Arielle en mêlant rires et pleurs.

«*Main dans la main, pas à pas, à la fois enlacés et amoureux, nous avançons vers notre destin. Jusqu'à mon dernier regard, jusqu'à mon dernier souffle, je t'aimerai et te protégerai, Arielle Queen...*»

— Adieu, Tom Razan.

15

*Après le départ d'Arielle,
Geri se retrouve seul dans
l'enceinte du palais.*

L'entrée du passage se trouve droit devant lui. Il n'a plus qu'un pas à faire pour quitter enfin ce royaume maudit. Avant de franchir le dernier mètre qui le sépare du passage, Geri jette un coup d'œil derrière lui pour observer les vestiges de l'Elvidnir. Le palais, autrefois majestueux, est maintenant en ruine. Les tours se sont écroulées, tout comme la plupart des autres bâtiments : le donjon, le corps de garde principal ainsi que la luxueuse demeure seigneuriale ont été remplacés par des montagnes de débris. À l'horizon, derrière ce qui reste des remparts, le paysage n'est plus que sombre brouillard. À l'intérieur de la citadelle, la neige a entièrement disparu. On aperçoit çà et là quelques élévations rocheuses. *Le brouillard atteindra bientôt la rivière Gjol*, note Geri, *et ne tardera pas à engloutir les hautes murailles de la citadelle*. À part l'animalter, il n'y a probablement plus aucune créature encore vivante dans ce royaume. Le brouillard dévore tout ce qui se trouve sur son passage. Lorsqu'il aura envahi l'intérieur de la citadelle, puis la montagne de l'Elvidnir, alors le royaume des morts aura bel et bien disparu, effacé à tout jamais de l'univers connu. *Bon débarras!* conclut Geri.

Lorsqu'il se retourne pour faire de nouveau face au mur, le doberman constate avec horreur que l'entrée du passage a disparu. Après quelques brèves secondes de stupeur, Geri se jette sur le mur fortifié et passe frénétiquement ses mains sur sa surface à la recherche du moindre petit trou, de la plus petite imperfection qui suggérerait que le passage est toujours là et n'attend que d'être rouvert.

— Oh non! C'est pas possible!

Lorsqu'il comprend qu'il n'y a plus rien, que le passage est définitivement clos, la panique s'empare de Geri.

— Non! Ne me dites pas que je vais rester prisonnier ici! Par pitié! Non! Non! Non!

C'est alors qu'une main se pose sur son épaule. Le cœur du doberman s'arrête instantanément de battre. Il se fige devant le mur, incapable de parler, incapable de bouger ne serait-ce que le petit doigt.

— Non, tu ne resteras pas ici, déclare la voix. Je t'emmène avec moi.

Cette voix, Geri la connaît mieux que personne. Il est probablement celui qui l'a entendue le plus souvent. Malgré cela, il ne peut croire qu'elle s'adresse à lui en ce moment même.

— C'est toi ? demande le doberman sans oser se retourner, craignant de faire face à un fantôme.

— C'est moi, confirme la voix.

— Freki ? !

Le doberman pivote alors sur lui-même et réalise qu'il n'est pas en train de rêver. C'est bien son vieux copain Freki qui se trouve là, devant lui. Ce bon vieux doberman de Freki. Il n'a pas changé. Il est toujours le même.

— Mais je te croyais mort !

Geri se jette dans les bras de son vieil ami.

— Je l'ai été, répond Freki. Mais tout comme Ael, j'ai eu la chance d'être recruté par de puissants alliés.

Recruté ? se répète Geri. *Par de puissants alliés ?* L'animalter se souvient alors de la trahison d'Elleira. *Et si c'était un piège ?*

— Quels alliés ? demande-t-il à Freki sur un ton méfiant.

Geri fait un pas en arrière, jugeant préférable pour l'instant de prendre ses distances.

— T'en fais pas, mon frère, le rassure l'autre doberman. Tu me connais, non ? Je ne travaillerais jamais pour les méchants !

— Pour qui, alors ?

— Pour la même personne que toi. Tu te souviens de Geri le Glouton et Freki le Vorace, les célèbres loups d'Odin ?

— Bien sûr, répond Geri. Noah s'est inspiré d'eux lorsqu'il nous a attribué nos noms.

— Tu n'y es pas du tout. Nous sommes, toi et moi, les véritables Geri et Freki d'Odin.

— Tu te fous de moi ?

— Pas du tout.

— Franchement, j'ai l'air d'un loup?

— Écoute, on en discutera plus tard. Ce qu'il faut que tu saches pour le moment, c'est que les elfes jumeaux, Leandrel et Idalvo, ne sont pas ceux qu'ils prétendent être. Ils vous ont menti pour mieux infiltrer votre groupe. En fait, tous deux sont des disciples du Thridgur.

— Le Thrid quoi?

— Peu importe. Le temps presse, Geri. Il faut quitter cet endroit. Mais après, je vais avoir besoin de ton aide.

— De mon aide? Pour quoi faire?

— Tu ne le croiras pas…

— Allez, envoie! insiste Geri devant l'hésitation de son copain.

— Ael et les deux elfes sont revenus à temps pour sauver Razan, mais depuis, ils le gardent prisonnier chez Karl Sigmund, dans les souterrains de la Volsung.

— Quoi?!… Et Arielle est au courant?

— Non. Ael lui a menti. Elle lui a fait croire que Razan était mort.

— Mais attends… Non! Ne me dis pas qu'il faut secourir cet imbécile de Razan?!

Freki acquiesce, avec un large sourire:

— Précisément.

Celtina

La Pierre de Fâl – Tome 10
Maintenant en librairie

TiLA

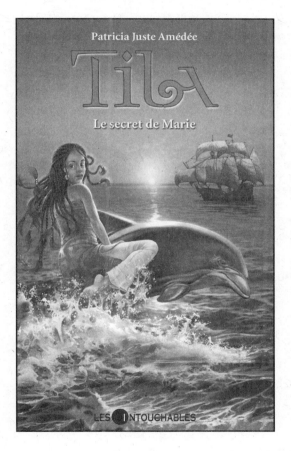

Patricia Juste Amédée

TiLA

Le secret de Marie

LES INTOUCHABLES

Le secret de Marie – Tome 5
En librairie le 13 mai 2009